中國文化二十四品

逄生

中国文化二十四品

饶宗颐 叶嘉莹 顾问
陈洪 徐兴无 主编

红粉闺秀

女性的生活和文学

俞士玲 著

江苏人民出版社

图书在版编目（ＣＩＰ）数据

红粉闺秀：女性的生活和文学 / 俞士玲著. -- 南
京：江苏人民出版社，2017.1
（中国文化二十四品）
ISBN 978-7-214-17403-1

Ⅰ．①红… Ⅱ．①俞… Ⅲ．①女性－社会生活－历史
－中国－古代 Ⅳ．①D691.968

中国版本图书馆CIP数据核字(2016)第046675号

书　　　名	红粉闺秀——女性的生活和文学
著　　　者	俞士玲
责 任 编 辑	张惠玲
责 任 校 对	卞清波
装 帧 设 计	刘莘莘　张大鲁
出 版 发 行	凤凰出版传媒股份有限公司
	江苏人民出版社
出版社地址	南京市湖南路 1 号 A 楼，邮编：210009
出版社网址	http://www.jspph.com
经　　　销	凤凰出版传媒股份有限公司
照　　　排	南京凯建图文制作有限公司
印　　　刷	江苏凤凰新华印务有限公司
开　　　本	652 毫米×960 毫米　1/16
印　　　张	12.5　　插页 3
字　　　数	140 千字
版　　　次	2017 年 1 月第 1 版　2017 年 3 月第 2 次印刷
标 准 书 号	ISBN 978 - 7 - 214 - 17403 - 1
定　　　价	30.00 元

（江苏人民出版社图书凡印装错误可向承印厂调换）

编委会名单

总　序

陈　洪　徐兴无

　　我们生活在文化之中,"文化"两个字是挂在嘴边上的词语,可是真要让我们说清楚文化是什么,可能就会含糊其词、吞吞吐吐了。这不怪我们,据说学术界也有 160 多种关于文化的定义。定义多,不意味着人们的思想混乱,而是文化的内涵太丰富,一言难尽。1871 年,英国文化人类学家爱德华·泰勒的《原始文化》中给出了一个定义:"文化,或文明,就其广泛的民族学意义上来说,是包含全部的知识、信仰、艺术、道德、法律、风俗,以及作为社会成员的人所掌握和接受的任何其他的才能和习惯的复合体。"[①]其实,所谓"文化",是相对于所谓"自然"而言的,在中国古代的观念里,自然属于"天",文化属于"人",只要是人类的活动及其成果,都可以归结为文化。孔子说:"饮食男女,人之大欲存焉。"[②]在这种自然欲望的驱动下,人类的活动与创造不外乎两类:生产与生殖;目标只有两个:生存与发展。但是人的生殖与生产不再是自然意义上的物种延续与食物摄取,人类生产出物质财富与精神财富,不再靠天吃饭,人不仅传递、交换基因和大自然赋予的本能,还传承、交流文化知识、智慧、情感与信仰,于是人种的繁殖与延续也成了文化的延续。

　　所以,文化根源于人类的创造能力,文化使人类摆脱了

---

　　① [英]爱德华·泰勒:《原始文化》,连树声译,谢继胜、尹虎彬、姜德顺校,广西师范大学出版社,2005 年,第 1 页。

　　② 《礼记·礼运》。

自然,创造出一个属于自己的世界,让自己如鱼得水一样地生活于其中,每一个生长在人群中的人都是有文化的人,并且凭借我们的文化与自然界进行交换,利用自然、改变自然。

由于文化存在于永不停息的人类活动之中,所以人类的文化是丰富多彩、不断变化的。不同的文化有不同的方向、不同的特质、不同的形式。因为有这些差异,有的文化衰落了甚至消失了,有的文化自我更新了,人们甚至认为:"文化"这个术语与其说是名词,不如说是动词。① 本世纪初联合国发布的《世界文化报告》中说,随着全球化的进程和信息技术的革命,"文化再也不是以前人们所认为的是个静止不变的、封闭的、固定的集装箱。文化实际上变成了通过媒体和国际因特网在全球进行交流的跨越分界的创造。我们现在必须把文化看作一个过程,而不是一个已经完成的产品"②。

知道文化是什么之后,还要了解一下文化观,也就是人们对文化的认识与态度。文化观首先要回答下面的问题:我们的文化是从哪里来的? 不同的民族、宗教、文化共同体中的人们的看法异彩纷呈,但自古以来,人类有一个共同的信仰,那就是:文化不是我们这些平凡的人创造的。

有的认为是神赐予的,比如古希腊神话中,神的后裔普罗米修斯不仅造了人,而且教会人类认识天文地理、制造舟车、掌握文字,还给人类盗来了文明的火种。代表希伯来文化的《旧约》中,上帝用了一个星期创造世界,在第六天按照自己的样子创造了人类,并教会人们获得食物的方法,赋予人类管理世界的文化使命。

---

① 参见[荷兰]C. A. 冯·皮尔森:《文化战略》,刘利圭等译,中国社会科学出版社,1992年,第2页。

② 联合国教科文组织编:《世界文化报告——文化的多样性、冲突与多元共存》,关世杰等译,北京大学出版社,2002年,第9页。

有的认为是圣人创造的,这方面,中国古代文化堪称代表:火是燧人氏发现的,八卦是伏羲画的,舟车是黄帝造的,文字是仓颉造的……不过圣人创造文化不是凭空想出来的,而是受到天地万物和自我身体的启示,中国古老的《易经》里说古代圣人造物的方法是:"仰则观象于天,俯则观法于地,观鸟兽之文与地之宜,近取诸身,远取诸物。"《易经》最早给出了中国的"文化"和"文明"的定义:"刚柔交错,天文也。文明以止,人文也。观乎天文,以察时变;观乎人文,以化成天下。"文指文采、纹理,引申为文饰与秩序。因为有刚、柔两种力量的交会作用,宇宙摆脱了混沌无序,于是有了天文。天文焕发出的光明被人类效法取用,于是摆脱了野蛮,有了人文。圣人通过观察天文,预知自然的变化;通过观察人文,教化人类社会。《易经》还告诉我们:"一阴一阳之谓道,继之者善也,成之者性也。仁者见之谓之仁,知者见之谓之知。"宇宙自然中存在、运行着"道",其中包含着阴阳两种动力,它们就像男人和女人生育子女一样不断化生着万事万物,赋予事物种种本性,只有圣人、君子们才能受到"道"的启发,从中见仁见智,这种觉悟和意识相当于我们现代文化学理论中所谓的"文化自觉"。

为什么圣人能够这样呢?因为我们这些平凡的百姓不具备"文化自觉"的意识,身在道中却不知道。所以《易经》感慨道:"百姓日用而不知,故君子之道鲜矣。"什么是"君子之道鲜"?"鲜"就是少,指的是文化不昌明,因此必须等待圣人来启蒙教化百姓。中国文化中的文化使命是由圣贤来承担的,所以孟子说,上天生育人民,让其中的"先知觉后知""先觉觉后觉"[①]。

---

① 《孟子·万章》。

无论文化是神灵赐予的还是圣人创造的,都是崇高神圣的,因此每个文化共同体的人们都会认同、赞美自己的文化,以自己的文化价值观看待自然、社会和自我,调节个人心灵与环境的关系,养成和谐的行为方式。

中国现在正处在一个喜欢谈论文化的时代。平民百姓关注茶文化、酒文化、美食文化、养生文化,说明我们希望为平凡的日常生活寻找一些价值与意义。社会、国家关注政治文化、道德文化、风俗文化、传统文化、文化传承与创新,提倡发扬优秀的传统文化,说明我们希望为国家和民族寻求精神力量与发展方向。神和圣人统治、教化天下的时代已经成为历史,只有我们这些平凡的百姓都有了"文化自觉",认识到我们每个人都是文化的继承者和创造者,整个社会和国家才能拥有"文化自信"。

不过,我们越是在摆脱"百姓日用而不知"的"文化蒙昧"时代,就越是要反思我们的"文化自觉",因为"文化自觉"是很难达到的境界。喜欢谈论文化,懂点文化,或者有了"文化意识"就能有"文化自觉"吗? 答案是否定的。比如我们常常表现出"文化自大"或者"文化自卑"两种文化意识,为什么会这样呢? 因为我们不可能生活在单一不变的文化之中,从古到今,中国文化不断地与其他文化邂逅、对话、冲突、融合;我们生活在其中的中国文化不仅不再是古代的文化,而且不停地在变革着。此时我们或者会受到自身文化的局限,或者会受到其他文化的左右,产生错误的文化意识。子在川上曰:"逝者如斯夫。"流水如此,文化也如此。对于中国文化的主流和脉络,我们不仅要有"春江水暖鸭先知"一般的亲切体会和细微察觉,还要像孔子那样站在岸上观察,用人类历史长河的时间坐标和全球多元文化的空间坐标定位中国文化,才能获得超越的眼光和客观真实的知识,增强与其他文化交

流、借鉴、融合的能力,增强变革、创新自己的文化的能力,这也叫做"文化自主"的能力。中国当代社会人类学家费孝通先生说:

> "文化自觉"是当今时代的要求,它指的是生活在一定文化中的人对其文化有自知之明,并对其发展历程和未来有充分的认识。也许可以说,文化自觉就是在全球范围内提倡"和而不同"的文化观的一种具体体现。希望中国文化在对全球化潮流的回应中能够继往开来,大有作为。①

因为要具备"文化自觉"的意识、树立"文化自信"的心态、增强"文化自主"的能力,所以,我们这些平凡的百姓需要不断地了解自己的文化,进而了解他人的文化。

中国文化是我们自己的文化,它博大精深,但也不是不得其门而入。为此,我们这些学人们集合到一起,共同编写了这套有关中国文化的通识丛书,向读者介绍中国文化的发展历程、特征、物质成就、制度文明和精神文明等主要知识,在介绍的同时,帮助读者选读一些有关中国文化的经典资料。在这里我们特别感谢饶宗颐和叶嘉莹两位大师前辈的指导与支持,他们还担任了本丛书的顾问。

中国文化崇尚"天人合一",中国人写书也有"究天人之际,通古今之变"的理想,甚至将书中的内容按照宇宙的秩序罗列,比如中国古代的《周礼》设计国家制度,按照时空秩序分为"天地春夏秋冬"六大官僚系统;吕不韦编写《吕氏春

---

① 费孝通:《经济全球化和中国"三级两跳"中的文化思考》,《光明日报》2000年11月7日。

秋》，按照一年十二月为序，编为《十二纪》；唐代司空图写作《诗品》品评中国的诗歌风格，又称《二十四诗品》，因为一年有二十四个节气。我们这套丛书，虽不能穷尽中国文化的内容，但希望能体现中国文化的趣味，于是借用了"二十四品"的雅号，奉献一组中国文化的小品，相信读者一定能够以小知大，由浅入深，如古人所说："尝一脔肉，而知一镬之味，一鼎之调。"

2015 年 7 月

目　录

导言 如何看待中国古代妇女生活

有关中国古代妇女生活的论著,用汗牛充栋来形容也不为过,为什么我还要写一本这样的小册子呢?我想,写它的最主要目的,是提醒现代读者反思我们对于中国古代女性的刻板印象,指出古代社会结构和家族制度与现代的不同,我们应该在古代社会结构和家族制度的框架中讨论中国古代妇女,观察她们的生活。我还希望以古代妇女生活为参照,更为清晰地认识当代中国妇女的处境,促进更深刻的女性自觉和发展。

我们对古代妇女的印象

我曾让学生用几个词来描绘他们对中国古代妇女生活的印象,其中"被摧残""依附男人""没有人身自由""没有独立意志"是较多被谈到的。我又让他们举出印象深刻的,在政治、经济、军事、文化等方面取得杰出成就的中国古代妇女,他们提到了这样一些个体:政治上是唐代的武则天,她做上了当时世界上最大帝国的皇帝,她不是勉强被推举上去的,也不是傀儡,而是稳健有效地统治了帝国十几年。现代民族国家建立以来,我们还不曾出现一位女性国家领袖。经济上有元代黄道婆,1295 年左右在松江推广她的轧棉机,结束了江南妇女手工摘除棉籽的时代;她还推广弹棉弓、纺车、织机等一系列纺织工具,传授错纱配色、综线挈花的纺织技术;她织出的被褥巾带上有色彩丰富、图案立体的花枝、团凤、棋局、字样等等,她的"乌泥泾被"成为当时的著名品牌,销售极广;不是她一个人发财,而是天下千余家以此为生,甚至以此致富,所以她死后,当地人自发地安葬她,立祠祭祀、纪念她。黄道婆在技术发明、将技术转化为生产力方面的成就,她创建品牌的思想,她的市场营销成果等,似乎超过了我们现在的任何一位"三八红旗手"的作为。军事上,有同学提到明末清初的浙江萧山人沈云英。她17岁时,跟随做官的父亲来到湖南道州。地方武装攻打道州城池,父亲战死,于是云英自己穿上铠甲,鼓舞士气并冲锋陷阵,最终守住了道州城。后来明朝廷正式任命沈云英为道州游击将军。沈云英的非凡勇气和韬略使她取得军事上的胜利,更重要的是她成为官方任命的女将官,即便是现代也堪称女性的传奇。文化上,他们列举了一系列女性:比如班昭,理由是她能为哥哥班固续《汉书》,而且是八表和《天文志》这些需要专门和高深学问的部分;比如钟夫人,"书圣"王羲之就是她教出来的;比如李清照,她比她丈夫更有才华,文学成就更高……于是我问同学们,当你们述说对中国古代妇女生活的印象的时候,你们想过刚才你们激动谈论的了不起的中国古代妇女了吗?他们说没有想,但"被摧残""依附男人""没有独立意志"就这么脱口而出。这种不加思考就可脱口而出的答案就是我们对中国古代妇女的刻板印象。

　　这种刻板印象,自清代末年中国人意识到本国军事落后之后就开始累积,新文化运动时期进一步加深,新中国成立以来愈加强化,直到现在,我们对中国古代妇女已有一种广泛的、持久的、有高度传承性的刻板印象:从"哀其不幸"的角度讲,"我们妇女生活的历史,只是一部被摧残的女性底历史"(陈东原《中国妇女生活史》);从"怒其不争"的角度讲,"中国之女子,既无高尚的情操,又无奇特之思想,既无独立之主义，又无伟大之事业。廉耻丧尽，依赖性成，奈何奈何！"
（徐天啸《神州女子新史》）。我举一个例子来说明对中国古代女性刻板印象的顽固性和危害性。1908年1月，《上海时事报》所办的《图画新闻》刊登了一则标题为《新人击虎》的新闻，内容是刚订婚的美国青年斐伦芬和宾塞特尔一起在山中旅行，正在欣赏风景时，忽然听到一声虎啸，随即一头斑斓猛虎就出现在两人面前。未婚夫正准备上前保护未婚妻，可是，说时迟那时快，未婚妻已拔出手枪彻底击毙了猛虎。中国古代妇女中当然也能找出像宾塞特尔这样沉着、勇敢、敏捷的人，刘向《列女传》中就有一位冯昭仪跟宾塞特尔很相像。一次，冯昭仪跟随汉元帝等人一道看斗兽表演。忽然，一只大熊从斗兽场中跑出，直接跳上宫殿台阶，眼看就要伤到汉元帝，冯昭仪从后面直冲到熊的面前，她的举动大概反倒使大熊吓了一跳，这为旁边的武士们赢得了时间，大家共同制伏了大熊。但《图画新闻》的作者，根本不会去想或者去找这些可以类比的中国古代妇女的个案，在其思想观念中，中国古代女性的受禁锢、怯懦、保守的刻板印象立刻发挥作用。于是作者这样评论《新人击虎》这条新闻："中国妇人，初嫁有出门之戒，遑云游；遇犬有却走之危，遑云虎。袅袅婷婷，等诸玩物，如对此宾塞特尔，能无汗颜！""出门之戒，遑云游"是说中国妇女生活空间的封闭，暗示着中国古代社会对妇女的禁锢。"遇犬有却走之危，遑云虎"，描写了中国妇女的行为方式，呈现了中国妇女懦弱、胆小的形象，而这一切是中国妇女受禁锢、封闭的生活方式的必然结果。"袅袅婷婷"表面上是夸赞语，实际描摹的是缠足妇女的身体和不自然的行走姿态。"等诸玩物"是联想起妇女所缠的小脚，是男性的玩物。《图画新闻》的这段评论集中呈现了那个时代对中国古代妇女的关注角度和刻板印象，这一刻板印象现在依然占据主流位置。

　　从这个例子我们还可以看到，一旦我们对中国古代妇女持有这种刻板印象，它就会妨碍我们对古代妇女鲜活生活的关注。其结果是，我们认识的中国古代妇女及其生活，是透过这一刻板印象推论、想象出来的，表面上我们对中国古代妇女及其生活似乎洞若观火，事实上却谬以千里。

从社会结构、家庭制度看古代妇女生活

　　从社会史的研究角度看,中国古代妇女生活不是一个独立的问题,它与古代社会结构和家族制度息息相关,所以充分了解中国古代的社会结构和家族组织就非常重要。

　　第一,中国古代社会和现代社会的基本理念非常不同。现代社会的基本理念是建立和维持个体公民的独立与平等,中国古代社会的理想,是用一整套礼法建立和维持家族与阶级的各种亲疏、长幼、尊卑、贵贱关系的有序及和谐。中国古代理想社会的最经典表述是“三纲五常”。“三纲”即君为臣纲、父为子纲、夫为妻纲,它首先承认个体身份的差异性,不管这种差异是基于自然原因(父子)还是社会原因(君臣、夫妻)的,同时承认在人际关系中君、父、夫具有权威。“五常”即仁、义、礼、智、信,它适用于所有人。古代社会最大的成功是让个体认同自己的角色身份,这样尊者、长者能以尊者、长者之道对待卑者、少者,卑者、少者也能以卑者、少者之道对待尊者、长者,所有人都极好地履行各自的义务,从而保证社会整体的道德水准,建立和谐有序的社会。如果我们暂时不对古代社会尊卑贵贱思想和实践展开批判,仅将它与长幼、亲疏一起理解成社会个体间的各种各样的差异,那么中国古代社会的建立思路是首先承认个体的差异:有人生来富贵,有人生来寒微;有人生来为男,有人生来为女;有人生来健康美丽,有人生来病弱丑陋……但所有人都可以通过履行各自义务而求取道德和人格上的平等。现代意识的前提则是相

7

信人人平等,在现代社会实践中,强调个体争取各自权利,但获得的权利事实上具有差异性。以现代观念看古代社会,我们往往仅仅看到尊长所获得的权利而无视他承担的义务,仅看到卑少者对自己主体身份的认命不看他在修身齐家等方面的努力,所以只一味地哀其不幸,怒其不争,其实是只知其一,不知其二。换个角度来看,如果持古代社会理念看现代意识,也能看到社会信念和社会现状之间的矛盾与冲突。

我想用一个例子来说明和展示中国古代社会阶级差异与社会理想。《列女传》的"贞顺"篇有一则叫《卫宗二顺》,这里的"二顺",指的是卫君夫人和卫君的妾两个人。"夫人"和"妾"一尊一卑,在中国古代分属不同的阶级,古代理想是希望每个人都能恪守这种身份差异的。在这个家庭中,卫夫人无子,妾生有一子。后来卫君去世,妾所生之子继承君位,成为新卫君,他的生母作为卫君母,身份地位也得以上升。这时,两位夫人如何和谐地相处呢?我们现在想象和书写古代社会生活时,一般会自然地认为两位夫人都会争取自身权利,卫夫人说你虽然母凭子贵,但我还是正夫人;妾说我儿子是卫君,你不过是生不出儿子的废人。这样的结果是每个个体的人格、尊严都丧失殆尽,家庭、社会的和谐一定无法维持。中国古代社会认为理想的方式是:两位夫人都是具有仁义礼智信的君子,她们克己复礼,谨守自身义务。妾不改故节,依然谨慎地服侍夫人;夫人则说,你现在是主君之母,而我是无子之人,你们让我留在夫家,我已经是十分地幸运了,怎么能让你服侍我。也就是说,卫夫人低调地以无子之妻的身份与主君之母相处,妾低调地奉行原有的上下之礼和富贵不能移之节与夫人相处,双方各自谦让并互相尊重,所以能雍雍和睦。可以看出,中国古代社会是有阶级等级的,但阶级等级和社会地位可以改变,君子之道使人得到道德和人格上的平等。

　　第二，现代社会以个人为中心，个人是利益的结算单位，古代社会以家族为中心，以家族为利益结算单位。比如，古代妇女能根据丈夫、儿子、孙子等的官职得到朝廷的封赠，成为朝廷的命妇。封赠是国家一项常规性制度。万历《大明会典》明确记载，正、从一品官的曾祖母、祖母、母亲、妻子各封赠"一品夫人"，正、从二品祖母、母亲、妻子各封赠"夫人"，正、从三品官的祖母、母亲、妻子各封赠"淑人"，正、从四品至七品官的母亲和妻子也各有封赠。京官命妇有定期入宫朝贺、参与宫殿庆典的权利和义务，京外品官命妇当定期朝见各地亲王的王妃，品级高的命妇死后能获得官方的恤典，命妇还有上疏朝廷的权利。所以母亲、妻子甚至祖母、曾祖母尽力地管理好家庭，辅佐家中男性成员尽忠职守，男性得到晋升，她们也随之晋升品级，拥有更高的社会地位。可以这样说，中国古代妇女与男性一主内一主外，通过分工协作，获得家庭和个人利益的最大化。我们当然不否认固化的女主内模式对妇女社会参与权有所剥夺，但我们也应从古代的社会制度中看到妇女对家族富贵、荣誉的共享，从中了解中国古代妇女与现代妇女不同的参与社会的方式。

　　了解古代社会以家族为中心的社会性质，可以对一些过去认为只是反映了古代社会男女不平等的礼制和法律有更全面的认识。比如"七出"之条被认为只是保证丈夫单方面离婚的权利，反映了古代男女双方离婚权利的不平等，但细细分析"七出"之条，几乎每条都在考虑家族利益，也就是所谓的"上以事宗庙，下以继后世"。"七出"第一条是"五十无子"，"无子"就没有继承人，就没人"上以事宗庙，下以继后世"，但"子"并不一定要妻子所生，庶出、过继都可以。妻子"妒嫉"妨碍家族的广继嗣；"淫佚"使家族继承人的血统成疑;"不事舅姑"、"口舌"都使家族不得安宁;"盗窃"是道德问题,破坏家族声誉;有"恶疾"的妻子不能准备洁净的祭品和主持祭祀宗庙的仪式。夫妻义绝条,是丈夫对妻族或妻子对夫族的殴杀或奸淫,这也是关系家族利益的事情,所以由法律强制离异。因为古代婚姻是以家族利益来衡量,而不是男女双方的情感来衡量,所以丈夫要休妻也不容易。妻子好不好,首先由公公婆婆判断,然后是家里人,最后才是丈夫,所谓"妇顺者顺于舅姑,和于室人,而后当于夫"。古代有保护妻子的"三不去"法律条款:"有所取无所归",妻子离婚后无处安身,丈夫不能去妻;曾经在丈夫家主持过姑舅之丧,曾跟随丈夫一起经历贫贱而后达到富贵,表明这个妻子对丈夫的家族是做过贡献的,法律保护她享受自己的劳动成果,所以是不能去的。如果丈夫还执意去妻,那就触犯了刑法,丈夫受到刑惩,婚还是离不成。《宋刑统》就规定:"诸妻无七出及义绝之状而出之者,徒一年半。虽犯七出,有三不去而去之者,杖一百。追还合。"所以,考查中国古代约束妇女的法律条款或社会习俗,要考虑古代社会以家族为中心的社会建构思路,同时考查与妇女地位相同的男性,只有这样才能通过比较得到平衡的看法,修改过去比较激烈的男女对立的观念。

现代社会的妻子可以分享夫妻共同财产,但妻子未必有"平等的处理权",因现代社会假设夫妻均为独立平等个体,国家法律不保证妻子分享丈夫的社会地位和社会成就。根据《中华人民共和国婚姻法》,男女双方一方要求离婚,法院调解无效、确认感情破裂即准予离婚,婚姻法对于妇女的保护和同情的条款少,给予关怀的时间又短,只有女方在怀孕期间、分娩后一年内或中止妊娠6个月内,男方不得提出离婚。我这样说,并不是为古代社会唱赞歌,而是想指出:对现代女性来说，无法像中国古代妇女那样通过辅助丈夫、儿子而获得政治、社会地位，也不能得到来自于法律保护条款和社会习俗层面的强有力的支持，必须要有不依赖于丈夫和家庭的真正的独立。

　　第三，古代内助被尊重，而现代家务劳动被贬损。这可以从两方面来谈。一方面，古代妇女所主之"内"比现代要开阔得多。中国古代社会中，家庭是真正的社会核心。从观念上讲，社会是家的推扩，而天下就好比帝王的家；从经济角度讲，家庭是农、工人士重要甚至是唯一的生产场所，即使是士绅官宦阶层，维系家庭的也不是男性的官俸，更多的是家庭的田地、手工业生产和商业活动的收入；从教育角度讲，家庭是女子和入学前男子的教育场所；从家庭规模来看，中国古代的家庭远比现代家庭规模要大，所以，中国古代主内的妇女有点像现代大公司的经理，你看《红楼梦》中王熙凤掌管的范围就可以知道了。现代社会女性所主之"内"要狭窄得多，家庭的规模变小，很多只是一家三口的核心家庭。即使是有家族企业，其管理也不是被作为"内"的事务来看待的，孩子的教育大部分由社会承担，所以，现代社会女性所主之"内"如果以传统社会的妇女职能来比附的话，是半"女佣"（家庭照顾）半"母亲"（家庭教育）的角色。另一方面，上文我从家族为中心的角度讨论了母亲、妻子对儿子、丈夫社会成功的合法分享，实际上它同时表达了国家对妇女家庭劳动价值的认同和肯定。官方推崇辛劳的母亲和妻子，家庭劳作和照顾的价值得到社会成员的普遍认同与尊重。中国古代感念母亲、妻子持家教子的文字俯拾皆是。比如宋代大儒程颐说他的父亲一生依赖他母亲的内助，所以对其"礼敬尤至"。他还将他们兄弟的教养和美德都归功于母亲的教育："颐兄弟平生于饮食衣服无所择，不能恶言骂人，非性然也，（母）教之使

然也。"(程颐《上谷郡君家传》)可以想象,程颐母亲每日忙于
主持中馈,持家理财,教育子女,包括庶出的孩子,在家中有
无上的权力和繁重的责任,她受到丈夫的尊重和礼敬,她看
着儿女们长大,成为出色的人才。有学者指出,程颐母亲的
这种人生,在她自己看来,自有其规律和合理性,非后人一句
"可怜"所能认识和评价。近代以来,个体公民身份在法律层
面得到确立,尤其是新中国成立后,国家还通过公共幼托系
统、学校等使女性公民从家庭中走出来,更多地参与社会生
产。与此同时,国家所引导的社会舆论强调社会服务价值,
在社会观念上,家庭服务价值被贬损。比如1950年4月29
日刘少奇《在庆祝五一劳动节大会上的演说》中说:"我们必
须给劳动者……以应得的光荣,而给那些无所事事、不劳而
食的社会寄生虫以应得的贱视。这就是我们的新道德。"此
处,从事家庭服务的女性被纳入"社会寄生虫"之列。我母亲
是位家庭妇女,持家有方,我婶婶身体不好,我叔叔的四个孩
子有三个是在我们家长大的。在物质匮乏的年代,母亲让我
们全家穿得干净舒服,吃得有花样、有滋味,所以她受到全
家、亲戚及邻里一致的尊重和爱戴,她对自己家庭妇女的身
份安然恬淡,但我年少时向我的朋友介绍我母亲或填写表格
中"家庭成员的职业"一栏时,对母亲的无业却有一种莫名的
羞耻感,我想这很能说明现代社会舆论对我们劳动观念的深
刻影响。而现代女性,一方面在事实上更多地承担着家庭劳
动,一方面更看重社会劳动,这是造成现代女性焦虑的重要
原因之一。

第四,"夫为妻纲"绝非"男为女纲",分阶级、阶层和身份
来考查中国古代妇女会更有效。在中国古代社会,并不存在
超越人伦关系和社会身份的"妇女"概念,但凡为女、为妇、为
母者,都是在具体的人伦关系和社会等级中被界定的。中国

古代社会承认亲疏、尊卑、阶级、阶层的差别，古代法律赋予妻子与丈夫相同的身份地位，所以"夫为妻纲"只意味着家庭中特定女性对特定男性理论上的从属，并不意味着社会中所有女性对所有男性的从属。在现代社会个体独立的前提下，女性的就业权和经济自立得到肯定，女性走出家庭，进入社会，所以，现代社会视古代闺房为禁锢传统妇女的空间，是束缚妇女身体和精神的枷锁。但是在中国古代社会，奴仆、部曲等非良人身份者的妻女出于生计考虑必须抛头露面，即使是农、工和小商人的妻、女、母亲也需要参加劳动或参与经营，再加上居住条件简陋，她们很难拥有自己的闺房。从这一意义上讲，拥有闺房是古代社会上层妇女的特权，闺房在古代社会的含义与它在现代社会的形象可以说是背道而驰。而且中国建筑中的闺房，就如皇城中的宫城，在中国宇宙观和伦理观等等的文化建构中，具有机要性和丰富的象征意涵，它暗寓了妇女在家庭中的重要性，如果缺少闺房的设定和支撑，那么古代社会内外井然的伦理秩序将无法维系。

在中国古代社会，也有游离于家庭生活之外的妇女，倒不是说这些女性不为人女、人妻和人母，而是她们的身份是以她们所操持的职业来为社会所认知和界定的。这里包括放弃家庭义务投身宗教的尼姑、道姑，投身歌舞戏曲娱乐业的歌女妓优，从事占卜的卦姑，通灵邀神的师婆，从事医疗、助产职业的医婆、药婆、稳婆，从事商业和婚姻中介的牙婆、媒婆，开设青楼、为男性牵合私情的虔婆等等。这些职业妇女的生活有别于一般家庭中妇女的生活，分开讨论也更为合理有效。

对古代妇女生活的描写

我们现在书写中国古代妇女生活所依据的材料，一是史料，可以分为两种类型：一种是传统史学研究中运用的史料，如历代官、私史书，典志类史书，地方志，女教书，家法、家训类图书；一种是近年来越来越受重视的当时人为女性所写的翔实而具体的行状、悼文，以及当时的档案卷宗、金石碑铭、契约、婚帖、书信手稿等等。二是文学艺术类材料，包括野史、笔记、诗赋、词曲、小说、诗文评、书法、绘画、老照片、新出土的文物等。其中妇女自己创作的诗文集数量甚多，且具有丰富的内容。如果再换一些角度划分，妇女研究材料又可分为当时记录和过后的叙事材料，对于后者，我们在使用时，要特别注意书写者的叙事立场和书写倾向。此外，妇女研究材料还可以依据书写者的性别分为女性书写的材料和男性书写的材料，我们在使用这些材料时，也一定要考虑性别不同而呈现的差异。

虽然有关中国妇女生活的史料十分丰富，但基于古代书写者的兴趣和观念，他们对有的话题感兴趣，对其他许多话题却沉默不语。如高世瑜在她的《中国古代妇女生活》一书的"序言"中，就谈到过现代人对中国古代妇女走路姿势究竟是什么样子的困惑。曼素恩在《传记史料中的言与不言》一文中说，古代妇女传记史料"对于有关妇女生活的家具装潢、衣着时尚和个体外貌的细节都鲜有关注"。现代人对于古代妇女日常生活内容以及视觉文化描绘的兴趣，在古人看来也许是无关紧要的，古代书写更看重妇女的德行层面，但我们

汉画像石《纺织图》拓片

可以从古人赞美妇女俭朴的美德或五行志"服妖"等批判性的书写中获得片段,再结合古代绘画、现代出土文物加以黏合拼接。

　　古代史料对妇女参与社会政治生活有较多偏见。拿中国古代唯一临朝称制的女皇帝武则天来讲,《旧唐书》中虽肯定武则天能广泛地听取正直之言,明察善断,礼敬正直的大臣,抑诛酷吏幸臣,但它的立论基础是"治乱时也,存亡势也……使懦夫女子乘时得势,亦足坐制群生之命,肆行不义之威",也就是说,武则天只是李唐政治的"乘时得势"者而已,这样就否定了她的政治自觉、政治才能和作为。姑且不论武则天的实际政治才能和作为,其实能把握时势,知道有所为和有所不为也未尝不是政治智慧,所以这里不是妇女有没有政治才能的问题,而是史臣拒绝将政治与妇女联系起来。这种态度,是"政治让女人走开"的观念和偏见的问题。《新唐书》的书写者甚至根本懒得讨论武则天的政治功过,直接将武则天的执政定性为行为上的"作恶",然后将恶行和果报相连,讨论天道和人间社会的惩恶。史臣激愤地说:"武后之恶,不及于大戮,所谓幸免者也。"与正史相比较,野史、笔记、小说书写女性政治生活时有不同的走向,它们的书写套路主要有:将女性的政治雄心想象转化为生理欲望的过剩,然后是无休止地满足自己的欲望,最后在道德层面将女性定义为淫荡;或者将女性的政治生活完全想象成不择手段的权力攫取,最后呈现的自然是最残忍的政治女性和女性政治。所以,一方面,中国古代社会几乎每朝都有女主,即使无官方的认可,也有不少女性运用自己的政治远见参与家族乃至天下的政治决策,不少女性相信自己有政治才干但因为身份受限而感觉痛苦;另一方面是带有很多偏见的书写政治女性的材料,我们必须充分认识这一点,写出较为公允的女性政治生活。

古代妇女材料对不以某个男性的女儿、妻子或母亲来确立身份,而以自身的社会职业确定身份的女性同样有很深的偏见。比如上文所说的"三姑六婆",南宋袁采在《袁氏世范》中就告诫说,这些三姑六婆"不可令入人家"。他列举的原因是这些女性会"脱漏妇女财物",更糟糕的是,她们会"引诱妇女为不美之事",把家中妇女带坏。元代的陶宗仪甚至预言"人家有一于此而不致奸盗者,几希"。也就是说,一般人家只要跟三姑六婆中的任何一个接触都要出问题。明清的各种书写更强化了人们对这些职业妇女搬弄是非、盗骗财物、惑乱人心、引诱奸淫的刻板印象。但稍微想一想,在古代社会,没有媒婆,婚姻如何缔结?没有稳婆,如何能保证产妇和新生儿的生命安全?所以在现实生活中,这些职业妇女有社会需求,也很受家庭特别是妇女们的欢迎。古代人看"三姑六婆",就好比现代人对医生、房产中介、婚姻中介不满一样,不是不需要他们,不是不欢迎他们,而是太需要他们了,但是医生诊治的结果，各种中介牵线搭桥的结果具有很大的不确定性，特别是结果不佳时，委托者就会将所有的过错归结到这些从业人员的品性上。除此之外，这些职业妇女在古代史料中被厌恶、被妖魔化的原因是她们抛头露面，违背了"男主外女主内"的角色定位。比如元代夏庭芝的《青楼集》，写京师教坊官妓连枝秀经高人点化成了虔诚的女道士，她外出唱道情化缘想在松江东门外建造一处修行之所，但松江士人写作疏文讽刺嘲笑她，让她无法在松江立足，后来她从俗嫁人，就没有人再骂她了。我们现在书写妇女生活，应该清醒地认识到古代记事的观念偏颇，公允地评价这些从业女性的工作性质、工作难度和社会贡献等。

此外，书写者的性别身份也需要关注。比如同样书写女性丧夫，男性可能更多想象女性的痛哭、凄苦、无助和自怜。如潘岳在其朋友、连襟任子咸去世后，为带着两三岁孤女的遗孀杨氏所作的《寡妇赋》，就多写杨氏的孤独无依、失声痛哭之状。而女性作者则较多关注寡妇承担双重家庭责任的悲壮和辛苦。比如明代女诗人薄少君，丈夫沈承去世时，她正有孕在身，面对巨大的变故，她表现得十分坚强。她的百首悼亡诗的第一首写道："哭君莫作秋闺怨，薤露须歌铁板声。"寡妇就是哭，也不作悲怨虫吟，而是要敲击铁板发出雄壮的哭声。对于寡妇的生活，男性作家特别是小说家更多是想象寡妇独守空房的寂寞难耐和性饥渴，所以明清小说家尤其戏剧化地提到寡妇控制性欲的一些方法，如《青城子》写一位寡妇自述，在漫长的夜晚，她会在卧室地上抛撒百余枚铜钱，然后在黑暗中一枚一枚地寻找、捡起，等全部捡齐时，自己已是神倦力疲，于是才可以睡去。这些帮助寡妇守节的铜钱有时被男性作家换成豆子或其他小物件，反复讲述。一些男性作者更进一步书写了不少自荐枕席的风流寡妇的形象，顺带塑造了不少坐怀不乱的君子。比如明代张履祥的《近古录》中引钱裒的《厚语》说，后来官至左副都御史的吴讷（1372—1457）早年在做太医院医士时，其下榻之处就有一位年少貌美的寡妇，这位寡妇钻穴穿窬夜奔到吴讷住所，吴讷冒雨逃出，第二天就赶紧搬了家。当时流传的说法是这些能拒绝奔女的君子会得到上天的赏赐，如刘宗周的《人谱》中写罗一峰会试成功就是对他拒绝奔女的嘉奖。而女性作者笔下的寡妇则多在考虑现实生计问题，或者课子读书，或者自己在读书。如清代年轻守寡的梁兰漪这样描绘自己的生活："卖珠补屋肠千转，划荻传经泪满巾。""风雨聊遮数椽屋，诗书苦校一篝灯。"

最后，我想说的是，我们在使用古代女性材料时，要充分认识到男性视角的渗透和绝大多数情况下女性声音的缺失。比如张岱在《陶庵梦忆》中写到，在一个月明之夜，他与陈洪绶宴席散后，不忍辜负良辰美景，携不少家酿好酒继续流连西湖之上。当划船至断桥时，遇见了一位求搭便船的女子，陈洪绶借酒挑逗女子，他自比虬髯客，让女子陪饮。女子十分好酒量，竟与二人喝完了张岱所带的酒。到达目的地后，陈洪绶死乞白赖地要女子的地址，女子笑而不答，自行离开，陈洪绶就跟踪其后，但被女子机智地甩掉。这位女子的到来，使陈洪绶变成了登徒子，而给张岱留下的是绮思。在张岱的记忆中，她"软语清谑，宛睇眉宇"。然而，这个女子是什么身份？她为何晚上还在西湖边流连？她听到陈洪绶在船上撒酒疯，还敢请求搭船，是明代的杭州有适合女性夜游的生活环境么？面对陈洪绶的挑逗，她是怎样的心理？她对自己被比作红拂女高兴吗？她对这次奇遇有什么预期和记忆呢？然而这些问题，我们都无从解答，这注定了我们对古代妇女生活的书写是有局限性的。这也是事先必须说明的。

古代妇女生活研究初探

基于以上的一些思考,本书将包括以下一些内容:

(1)古代妇女的政治生活。讨论中国历史上各时期正式的太后临朝称制,政权草创期和转折期太后政治的特点;武则天称帝后的政治生活;嫔妃、公主甚至宫女政治;外命妇的政治生活;一般妇女的政治理想和参与政治的方式等。

(2)古代妇女的经济生活。我想打破过去对家庭妇女、三姑六婆、青楼女子的区分,在一章中讨论家庭妇女的社会经济贡献以及三姑六婆、青楼歌妓等职业妇女的从业生涯和社会经济贡献等。

(3)古代妇女的法律生活。分阶级讨论中国古代妇女的法律地位,因女性的积极有为而改变的法律条款,女性犯罪以及合理利用法律维护自身权益的案例,法官判决受到女性性别和道德影响的案例等。

(4)古代妇女的文学生活。首先在中国古代文学的整体框架中讨论中国古代妇女的文学创作和成就,古人对于妇女创作的复杂心态,古代妇女表达的性别意识及其表达方式,其次以女诗人翁孺安为例讨论妇女文学中性别意识的表达和女诗人跨性别社会实践的差异性后果等。

(5)古代妇女的美和妆饰。讨论先秦至汉晋时期男性书写中的女性面貌和身体之美;古人,特别是妇女对女性美的看法以及她们重视风度气质远超于天生丽质的倾向;以"服妖"材料讨论各个时代的流行妆饰;最后讨论女性对于性感美的观察。

缠足是延续数百年的中国古代妇女有关身体的文化实践。近来的研究,已从反缠足的"政论"转化为有关缠足的"历史研究",更多关注女性的主体性和能动性,出现了高彦颐的《缠足:"金莲崇拜"盛极而衰的演变》等出色的研究成果,我对之毫无心得,故从略。

(6)私人记述中的古代妇女生平。从古代个人传记中选择了五位一生中有过为女、为妻、为母身份的普通女性,借以管窥中国古代普通妇女的多样人生,最后各用一例略说妓女和宗教女信徒的人生。

原典选读

卫宗二顺

　　卫宗二顺者,卫宗室灵王之夫人而及其傅妾也。秦灭卫君,乃封灵王世家,使奉其祀。灵王死,夫人无子而守寡,傅妾有子。傅妾事夫人八年不衰,供养愈谨,夫人谓傅妾曰:"孺子养我甚谨,子承祀而妾事我,我不聊也。且吾闻:主君之母,不妾事人。今我无子,于礼斥绌之人也,而得留以尽其节,是我幸也。今又烦孺子不改故节,我甚内惭,吾愿出居外,以时相见,我甚便之。"妾泣而对曰:"夫人欲使灵氏受三不祥耶?不幸早终,是一不祥也;夫人无子而婢妾有子,是二不祥也;夫人欲出居外,使婢子居内,是三不祥也。妾闻忠臣下君无怠倦时,孝子养亲患无日也,妾岂敢以小贵之故,变妾之节哉!供养,固妾之职也,夫人又何勤乎?"夫人曰:"无子之人,而辱主君之母,虽子欲尔,众人谓我不知礼也。吾终愿居外而已。"傅妾退而谓其子曰:"吾闻君子处顺,奉上下之仪,修先古之礼,此顺道也。今夫人难我,将欲居外,使我居内,此逆也。处逆而生,岂若守顺而死哉!"遂自杀。其子泣而止之,不听,夫人闻之惧,遂许傅妾留,终生供养不衰。君子曰:"二女相让,亦诚君子!可谓行成于内,而名立于夫世矣。"诗云:"我心匪石,不可转也。"此之谓也。(汉刘向《列女传·贞顺篇·卫宗二顺》)

古代妇女的政治生活

我们对中国古代妇女的政治生活的关注受到两种思想观念的压制：一是古老的"牝鸡司晨，家之索也"的观念，一是近代以来认为能够涉足政治的妇女必是统治阶级，所以有意加以忽视。我们现在常说"天下兴亡，匹夫有责"，这句话出自《左传》和《列女传》，应表述为"天下兴亡，匹夫匹妇有责"。《左传》载，昭公二十四年，也就是公元前518年，周王室风雨飘摇，郑定公想联合晋国扶持周室，于是带着子大叔一起访问晋国。为了游说晋国权臣范宣子鞅，子大叔引用了他听说过的一句话："嫠不恤其纬，而忧宗周之陨,为将及焉。"即寡妇不忧虑自己织布机上的纬纱,而担忧宗主国的陨落,那是因为宗主国出现问题,自己会被波及。《列女传》"贞顺"篇有一则叫《鲁漆室女》,说的是鲁国漆室这个地方有位庶民的女儿,年纪相当大了,还没有出嫁,有一天她发出悲伤的长啸,她的一位邻居闺蜜赶紧过来安慰她,承诺一定会更加上心地为她张罗结婚对象。漆室女批评朋友没有见识,她说我哪里是为了嫁不出去而悲伤叹息,我是担心我们国家君王已老而太子太年幼。闺蜜觉得漆室女很好笑,说你真是多管闲事,这些事应该是鲁国大夫操心的,跟我们妇女有什么关系?于是漆室女举了她经历的两件事:第一件是,晋国的客人在她家借宿,他的马拴在她家园子里,结果马挣脱了缰绳,将她园中的葵花全糟蹋了,因此她家一年都没能吃上葵花。第二件是,邻居家有个女孩跟人私奔,女孩家人请漆室女的哥哥帮忙追堵拦截,正好碰上多日大雨河水猛涨,她的哥哥在追堵途中不幸溺水而亡,因此,她永远失去了兄长。最后她说,如果鲁国出了问题,我们国家的君臣、父子都要受侮辱,难道我们妇女能有地方躲避而免受侮辱吗?漆室女用例子说明了政治对个人生活无所不在的影响和女性与政治无法割断的关联。可见,中国古代妇女因各种机缘而和政治联系在了一起。

古代的太后政治

中国古代女主统治的历史源远流长，最早可追溯到秦昭襄王的母亲宣太后（公元前 265 年去世）。昭襄王公元前 306 年成为秦王，《史记·秦本纪》说因为昭襄王年少，太后摄政，此后的 36 年秦国始终是宣太后当权。宣太后利用自己的政治眼光和政治谋略，在内任用魏冉，对外利用自己的女性魅力杀义渠王，使秦国开始拥有陇西、北地、上郡等地。

接下来我们来大致算一算整个帝制时期女主统治的时间长度，也就是从公元前 221 年秦嬴政统一全国称始皇帝起，到公元 1912 年 2 月 12 日清帝下诏退位为止的两千余年中女主的统治时间。虽然一些少数民族政权的女主权力相对更高，但我们这里只算汉民族建立的政权和最后的统一帝国清朝。第一个是吕太后。高祖之后，《史记》不立"惠帝本纪"，却立"吕后本纪"，乃因惠帝死后，太子继位，号令全出自吕太后。不久，少帝因怨怼被废，吕后立孝惠皇后子为帝，史书也不另行纪年，太后临朝称制，所以虽然官方记载的吕后摄政时间是公元前 188 到公元前 180 年，实际上她执掌朝政达 15 年之久。汉成帝母亲王政君作为主政者，历经成帝、哀帝、平帝三朝，成帝时尊为皇太后，在成帝老生不出子嗣身体又渐渐出问题之后，皇太后开始走上政治前台。之后哀帝、平帝继位，孺子居摄，都与太后关系极大。平帝即位，太后临朝，委政于王莽。也就是说，官方记载的王政君临朝时间 8 年，实际上她掌权时间自公元前 20 年（鸿嘉元年）至公元 8 年，总共 28 年。范晔在《后汉书·皇后纪》中这样概括东汉的政权归属："东京皇统屡绝，权归女主，外立者四帝，临朝者六后。"这六后分别是：章帝窦皇后，和帝时临朝，执政时间是公元 88 年到 92 年；和帝邓皇后，殇帝、安帝时临朝，执政时间是公元 105 年至 121 年；安帝阎皇后，少帝时临朝，执政时间是公元 125 年；顺帝梁皇后，冲帝、质帝、桓帝时临朝，执政时间是公元 144 年至 150 年；桓帝窦皇后，灵帝时临朝，执政时间是公元 167 年至 168 年；灵帝何皇后，少帝时临朝，执政时间是公元 189 年。《后汉书》记载的这六后执政时间共 32 年，实际掌权时间应该更长。东晋明帝庾皇后，因为成帝 5 岁即位，朝臣请虞太后依汉和熹邓皇后先例临朝摄政。虽然史家认为此时政事全由太后弟弟庾亮决定，不过太后临朝却是事实，朝臣上奏称虞太后为"皇太后陛下"，《晋书》本传说虞后"即位凡六年"。康帝褚皇后在穆帝、哀帝、孝武帝时曾几度临朝称制，自穆宗永和元年算起"十有余年"。想象王羲之《兰亭集序》"永和九年，岁在癸丑""群贤毕至，少长咸集"时的"中外无事"，正是沐浴在褚太后的"母氏之化"中，就觉得非常有趣。褚后第二次临朝称制是在晋废帝太和年间，第三次在孝武帝时，一直到孝武帝婚冠礼成后方才归政。史学家普遍认为，褚皇后后两次临朝期间，政治权力主要是在谢安等士族手中，但她的确起到了国家政治领袖的作用。唐朝的女主政治下节将有专论。北宋提供了三种太后临朝的形式：第一种是与小皇帝一起上大殿，太后垂帘决策。如宋真宗遗诏称军国大事权同太后处分，于是刘太后同 12 岁的仁宗皇帝一起到承明殿，刘太后在帘后决策。刘太后的摄政时间为1022 年至 1033 年，可是《宋史》说真宗健在时，退朝后，阅天下封事，已都与刘皇后商讨。后来真宗久病，政事"多决于后"，到真宗去世前的最后两年，引大臣决天下事，"后裁制于内"，所以，刘后实际掌管国家的时间要比官方记载的时间长得多。第二种是皇太后在小殿垂帘听政。宋英宗生病，仁宗曹皇后、英宗时的皇太后权同处分军国事，在小殿中垂帘听政，后来英宗病愈，曹太后归政。曹太后的摄政时间自 1063年至 1064 年。第三种是太后在迎阳门垂帘听政。神宗晚年病，应宰相王珪为首的群臣请求，高太后权同听政。高太后是英宗皇后，神宗时被封为太后，哲宗时为太皇太后。她是曹太后的外甥女，神宗在时，她在福宁殿听政，哲宗继位后，她每隔五天和哲宗一起到迎阳门坐于帘后听政。高太后选择在距离言官更近的迎阳门听政，细腻地表达了她反对新法的更化立场，她的摄政时间从 1085 年到 1093 年。之后徽宗即位，向太后与曹太后一样于小殿中听政，其摄政时间是1100 到 1101 年。1127 年，宋徽、钦二宗被掳后，张邦昌在开封拥元祐孟皇后为元祐太后，入居延福宫，在御内东门外小殿垂帘听政，然后用太后名义颁诏使康王嗣统。宋高宗在商丘即位，孟太后在开封撤帘归政。虽然孟太后莫名其妙地被张邦昌找到，被张邦昌拥立，是仪式性的存在，但由此更可以看到太后在政权转折期的实质性和象征性的意义。无论如何,北宋的 167 年间大约 25 年,这个帝国的元首是妇女。南宋高宗、孝宗都是自己要求提前退休,老皇帝健在,继承人也年长,所以不需要太后临朝,但高宗吴皇后即后来的宪圣皇太后是废光宗、立度宗的重要力量。宁宗去世后,理宗继位,曾尊宁宗杨皇后为皇太后,当时朝议都希望皇太后听政,实际上理宗即位时已 20 岁,所以皇太后与理宗御便殿垂帘听政约八个月后就以多病为由撤帘,不再听政。度宗去世时,恭帝 4 岁登基,谢太后临朝称诏,与文天祥、陆秀夫等人一起见证了南宋走到尽头。慈禧太后垂帘听政最为我们所熟悉,她垂帘听政的时间包括同治时期的 13 年和光绪时期的 34 年,共计 47 年之久。

中国古代有三位帝王下过诏谕禁止皇太后干政,一是魏文帝曹丕,一是南朝宋武帝,一是明太祖朱元璋。虽然禁令内容大致相同,但禁令产生的时代背景并不相同。曹丕在 223 年下的诏书,表明当时大臣受东汉政治的影响有向太后奏事的习惯。虽然有魏文帝诏令在先,但是在魏少帝时期,也有魏明元郭太后专政之说。宋武帝和朱元璋的诏谕有防微杜渐之意,但宋国祚不永,无太后临朝未必是祖训起了作用。南朝只有梁武帝在齐时,为篡权扶植齐文安王皇后王宝明为宣德皇太后临朝,入居内殿,实际上,太后完完全全是傀儡。史书作者都夸赞"终明之世,宫壸肃清,无太后干政之事"。从官方层面上讲,明朝确实没有出现正式临朝(或临朝称制)的太后,但这并不妨碍太后私下的政治作用。比如宣宗去世时,9 岁的正统帝继位,宣宗遗诏就有"国家重务白皇太后"(《明史·宣宗本纪》)之语,这位皇太后是指明仁宗张皇后,即英宗时的太皇太后。又比如张居正曾回忆穆宗临终,冯保对顾命大臣宣读皇帝遗嘱,李太后在帷中口谕云:"江山社稷要紧,先生每务尽忠为国。"(张居正《谢皇太后慈谕疏》,《张岳集》卷四一)后来内阁首辅高拱有专权之势,《明神宗实录》卷二"隆庆六年六月庚申"中保存了一道很少见的圣旨,这道圣旨同时署"皇后懿旨、皇贵妃令旨、皇帝圣旨",称"今有大学士高拱专权擅政,把朝廷威福都强夺自专,不许皇帝主管",两宫太后与皇帝联名罢黜一名内阁首辅,在明朝历史上尚属首例,似乎也违背了朱元璋后妃不许干政之诏谕。而历史学家相信,李太后正是张居正变革的积极支持者和坚强的后盾。《明史》给予李太后这样的评价:"后性严明,万历初政,委任张居正,综核名实,几于富强,后之力居多。"(《明史·李太后传》)可见,这些太后虽未正式临朝称制,但事实上掌控或参与了国家政治决策。

除了上文所列有官方记录或受先帝遗诏托付幼主的太后外,还有许多太后或太后式的母亲在政治决策中发挥了极大的作用。比如孙权母亲吴夫人。孙坚死时,孙策才11岁,孙策能成功经营江东,他的母亲吴夫人功不可没。吴和会稽分别是吴夫人的本贯和生活之地,孙策在政治上杀伐决断,吴夫人则以怀旧、缓和、节制的姿态补救,所以《会稽典录》上说吴夫人"智略权谲"。孙策在26岁遭人暗杀,当时弟弟孙权才18岁。别忘了那是一个分裂的时代,不但君择臣,臣也择君,所以吴夫人立刻接见张昭、董袭等人。张昭后来对孙权说,昔日太后"不以老臣属陛下,而以陛下属老臣"。太后在孙权与张昭的君臣关系上又赋予了接近于父子的亲情关系,张昭因太后对他的尊重、信任,激发出强烈的士为知己死的责任感和报效之心。又如张纮,他本受曹操器重,因为吴夫人数次对他"优令辞谢",所以留下来辅佐孙权。可见,陈寿将孙权能少年统业部分归结为"夫人助治军国,甚有补益",是十分恰当的。《江表传》记载,建安七年(212)五月,曹操在袁绍死后,要求孙权出兵共击袁绍二子,为挟制孙权,曹操还要求吴送人质到北方。面对政治、军事上都具优势的曹操,听令、委质固然比较稳妥,但也因此而受制于人,所以张昭等谋臣犹豫不决,周瑜、孙权主张不送人质而静观曹氏之变。值得注意的是,孙权虽态度明确,但不愿拍板决定,而将此决定权交给母亲。吴夫人拍板决定不委质,并由她来解除张昭等谋臣的疑虑,可见吴夫人在张昭等人心目中的位置和份量。此事后不久,吴夫人就去世了。

太后的威信是中国古代帝王家天下和孝道思想相结合的产物,特别是在君主去世后,不论是从国家政治权力平稳过渡,还是从主弱臣强、君权有待强化等诸多方面看,太后都有望成为国家最重要的象征性的和事实上的领袖。分析各位太后的政治表现,虽然行事风格各有不同,也可看出一些共性。太后政治的特点之一是相对较为仁慈。在章德窦后摄政期间,从现有的材料看,她曾两次诏赐贫民,三次"减弛刑徒""大赦天下"。邓太后多次下诏蠲除田租,复除徭役,国家开仓贷给饥寒贫人粮食,还曾将公田分给贫人,史书说她"每闻人饥,或达旦不寐,而躬自减彻,以救灾户,故天下复平,岁还丰穰"。哀帝建平元年,太皇太后诏曰,外家王氏田,非冢茔,都分给贫民。司马迁将吕后写得极其阴险残忍并让她得到最严厉的惩罚,比如她为了保证自己儿子的太子位和皇位杀害了赵王如意,并将戚夫人做成人彘,因此吓病了自己的儿子,致其从此不能治理国家,这个本来孝亲爱弟的儿子甚至骂母亲不是人。有时我想,这其中多少是事实,多少是传言?多少出于史家对外戚政治的厌恶?不过,在《吕后本纪》最后,司马迁倒呈现出公允的历史评价,他说吕后称制时期,天下晏然,极少有人犯罪,老百姓勤奋劳动,物质生活条件大为改善。也是在吕后时代,最终废除了"三族罪"和"妖言令"两条刑律。"三族罪"是人犯重罪要戮其三族,"妖言令"则轻易将过误之言定性为妖言惑众,废除这两条法律,就是防止法律定罪和刑罚的扩大化。太后政治的另一特点是太后多属温和的改革派。帝制时代有几次大变革,其中都能看到女主的存在。科举制的产生是中国古代最重要的人才选拔制度的改革,武则天在其中扮演了主角;王安石变法是中国古代最大的经济改革运动之一,曹太后、高太后皆参与其中;戊戌变法是中国古代最大的政治改革之一,慈禧太后参与其中。武则天的人事改革顺应了时代潮流,社会的动荡使旧贵族土崩瓦解,所以改革的阻力相对不大,加上百废待兴的时代正需要人才。黄仁宇在《赫逊河畔谈中国历史》中说,王安石经济改革的思路太超前了,有国家资本主义的倾向,曹太后、高太后则相对推崇并谨慎遵守祖宗家法,其思路是守祖宗家法而兴太平。现在的研究表明,慈禧太后在戊戌变法运动中的表现和她在晚清主导的三次变革中的表现一致,她并不是我们通常所说的守旧派,而是总体上倾向于缓慢进行变革的思路。

皇后政治和女皇政治

　　相对于太后政治来说,皇后政治就没有那么名正言顺了,这从中国古代家庭婆婆和媳妇的权威不同就可以推想出来,但是,凡事不能绝对化,很多时候事在人为。中国古代也有向太后宣战取得胜利并主持朝政的皇后,我想最有名的要数晋惠帝皇后贾南风。晋武帝死后,晋惠帝即位,同日尊先帝皇后杨氏为皇太后,立贾南风为皇后,皇太后的父亲杨骏以太尉职辅政。事实上,晋惠帝智力低下,为太子后,就有大臣酒后吐真言,拍着御座大叹"可惜",所以杨骏的辅政,实际上是百官、百事归于自己,皇太后保证了杨骏大权在握的合理性。史载当时皇帝诏令出炉的程序是:诏命自杨骏出,"帝省讫,入呈太后,然后乃出",皇帝实际上是傀儡,这是一心想参与政事的贾皇后无法忍受的。了解贾后的为人以及她父亲贾充送她入宫的动机,就能明白此时贾后心中有多么不甘。贾充在司马氏代曹魏的过程中,绝对是拥立司马家的急先锋,他因此一方面受到时人诟病,一方面"为晋元勋,深见优异",而后者又与前者相辅相成。贾充一直没有子嗣,但至少有四个女儿,贾充择婿充分展现了他与晋王室的亲密关系和他的政治企图。除太子妃、皇后贾南风外,他还有一个女儿嫁给了晋武帝的弟弟齐王攸,成了王妃,如果因惠帝不慧不能承统的话,齐王攸是当时最有力的帝位继承人。杨家也是姊妹相继把持后位,晋武帝的第一位皇后放心不下自己的儿子,临终前请丈夫娶叔父杨骏的女儿杨芷,也就是惠帝时的杨太后。其实,论年龄,杨太后(259-292,276 年入宫)还小贾皇后(258—300,272 年为太子妃)一岁,进入皇室的时间也比贾皇后晚。更重要的是杨太后温和柔弱,杨骏无谋无断,而贾皇后性情强悍,又多权谋,所以贾后联合楚王玮、东安王繇以造乱罪杀了杨骏,以参与奸谋、图危社稷罪废杨太后为庶人,杨太后最终悲惨地饿死,贾皇后终于可以代表自己的丈夫行使权力了。公元 300 年,赵王伦率兵入宫,齐王冏对贾后宣称"有诏废后",贾后反问道:"诏当从我出,何诏也?"可见她虽然没有官方的名分,但自认元康年间(291—300)诏从己出,而事实也是她"专制天下,威服内外"。在《晋书·贾后本传》中,史家始终在写贾后的凶暴、荒淫以及屡屡因此而来的废后动议,但在《惠帝本纪》《张华传》《裴颁传》中,史家又不得不承认,元康年间"虽暗主在上,而朝野安静""海内晏然",但贾后能尊重张华、裴颁等大臣,"依以朝纲,访以政事",也赢得这些大臣的"尽忠匡辅,弥缝补阙",可见她善于用人,其在政治上的精明和练达是不容忽视的。清代史学家指出,史书作者在书写贾后传时受到了自身情感因素的影响,如钱大昕在他的《廿二史考异》中说:"作史者恶充(指贾充)之奸,故于《贾后传》及此篇(指《贾充传》)缕述其女淫秽之迹。"此外还应该考虑书写者对后妃干政的厌恶情绪,这种厌恶使贾后成为众恶所归,成为八王之乱、西晋灭亡的替罪羊。《晋书·后妃传》说:"南风肆狡,扇祸稽天。……褒后灭周,方之盖小;妺妃倾夏,曾何足喻。"此处将贾后与褒姒、妺喜相提并论,但褒姒、妺喜只是让帝王忘记了政治使命,而贾后僭越承担了政治使命以致灭国,所以更可恶,更罪大恶极。

与贾后一样臭名昭著的皇后干政的例子是唐中宗韦后,她倒不是要打倒婆婆,而是要效仿婆婆武则天。武则天先是以皇后身份干政的,但她比贾南风幸运:她的丈夫虽然多病,许多时候性格软弱,但在给予妻子皇后、"二圣"等名分时态度十分坚决,名分使武则天行事相对变得理直气壮。武则天的婆婆唐太宗长孙皇后去世比较早,武则天在争当唐高宗皇后的道路上需要除掉皇后、淑妃的障碍,这比除掉太后难度要小;同时,武则天让皇帝不理会舅舅的意见也比让他不理会母亲的意见要容易得多。唐高宗永徽六年(655)十月乙卯日,武则天被立为皇后,这是来之不易的,是高宗和武则天与反对此事的大臣(比如长孙无忌、褚遂良)经过激烈的斗争才达到的结果。大约在显庆五年(660),高宗患上风眩病,武则天开始参决百司奏事,于是被委以政事,获得与高宗同等的权力,至迟到麟德元年(664),已和高宗有"二圣"的称号。公元690年,武则天自立为帝,改国号为周,称圣神皇帝,在位15年。中宗神龙元年(705)被逼退位,被尊为则天大圣皇帝,因为正史中没有一部武则天皇帝的"周"史,新旧《唐书》只能用李唐"则天顺圣皇后"之名将她放在专为皇帝作传的"本纪"当中,武则天与丈夫共同或单独名正言顺地治理帝国将近半个世纪。在新旧《唐书·则天本纪》中,我们看到女皇比男性皇帝更频繁地改元,更频繁地大赦,以及例行公事的官员任免和军事、外交活动,因此不太能看出她是怎样的一位帝王。赵翼在《廿二史札记》中为武则天写了两条,第一条说武则天是所有无道之主和明君中最好杀的皇帝,第二条话锋一转,引用了新旧《唐书》中《刘仁轨传》《姚王寿传》《武庆传》《杜景俭传》《王求礼传》《张庭珪传》《朱敬则传》《李峤传》《苏良嗣传》《周矩传》《张昌宗传》《韦安石传》等,来论证女主"纳谏知人,亦自有不可及者"之处。他还引用武则天当政时和稍后唐人的说法来证明自己所言不虚,而且辅助玄宗皇帝开创"开元盛世"的名臣多出自武则天之选。说到最后,赵翼甚至认为说女皇帝淫是站不住脚的,因为"人主富有四海,妃嫔动至千百,后既身为女主,而所宠幸不过数人,固亦无足深怪"。即如果从君主的后宫制度来考虑,女皇帝也应该有宫人;如果参考男性皇帝的后宫数量,女帝宠幸才不过数人,是远远不达标的。由此,说到女皇帝的残忍似乎也可以换一种角度思考,因为能赏赐分明的人,惩罚也必然分明,所谓"有一言合,辄不次用,不称职,亦废诛不少假"。赵翼最后的结论是武则天"不可谓非女中英主"。

在武则天为皇后时,她带领了那个时代的女性参加了不少政治活动。比如高宗永徽六年(655)十一月,武则天登上皇后位后,在内廷接见了内外命妇。显庆元年(656)三月,她作为皇后率领中外命妇祭祀先蚕。麟德三年(665),高宗泰山封禅,原计划封礼和禅礼的初献都是高宗皇帝,亚献、终献是公卿。武则天指出禅礼是封禅礼中祭祀地祇的部分,这次封禅以唐高祖、唐太宗为祭天礼中的配,禅礼是以高祖夫人太穆皇后、太宗夫人文德皇后为配,所以由男性外臣主持禅礼是不得体的,她说自己没有机会侍奉两位太后,今日举行这样的祭祀活动,岂能再偷懒不表孝心。最终的禅礼中,高宗初献,武则天亚献,太宗妃越国太妃终献,许多宫人担任礼生。武则天和其他妇女在禅礼中的作为,是前所未有的壮举。

韦后是唐中宗皇后,中宗在高宗死后继位。一年后,中宗被废庐陵王,夫妇俩患难与共,在房州(今属湖北)度过了14年,其间韦后是中宗的精神支柱,所以中宗感激地承诺:"一朝见天日,誓不相禁忌。"长安四年(704),中宗再次登上皇位,他信守诺言,不"禁忌"韦后参与政治,并给予她生活上的自由,但大臣们有意见。韦后比贾南风更不利的是:第一,贾后从未垂帘听政,没有这样公开的形式,大臣也没有了公开批评的机会;第二,大臣们心知肚明,晋惠帝的智力不足以

武则天封禅嵩山后所立的升仙太子碑

处理朝政，而中宗身体健康，所以韦后垂帘听政，受到大臣们的激烈反对。《旧唐书·桓彦范传》收录了桓彦范条陈，他说："伏见陛下每临朝听政，皇后必施帷幔坐于殿上，预闻政事。"最后韦后不满足于垂帘听政，和女儿安乐公主合谋毒死了中宗，准备仿效婆婆武则天做皇帝，最终她的皇帝梦被李隆基打破。《旧唐书》的《音乐志》和《韦后传》中提到因韦后上表而最终获得通过的一些提案：比如请百姓以年二十三（一说二十二）为丁，五十九（一说五十八）免役。各朝成丁年龄规定不同，如汉高祖时，十五岁以上至五十六岁为正丁，晋武帝时男女年十六以上至六十为正丁，梁、陈六十六岁免课，韦后的提议使天下百姓晚纳税、早免课，是有利于百姓的福利。又如请天下士庶为出母服丧三年；再如妃主及不是因为丈夫、儿子而得封的五品以上母妻迁葬之日特给礼乐鼓吹。后两条无疑有利于提高妇女的社会和家庭地位。

中国古代为史家称道的贤后要数唐太宗长孙皇后和明太祖马皇后。在李世民发动"玄武门之变"时，长孙皇后亲自来到玄武门前慰问、勉励将士。一次唐太宗退朝后怒气冲冲，说魏征每每"廷辱"自己，发誓一定要杀掉这个不识相的乡巴佬。长孙皇后立刻换上朝服站在庭中要拜贺丈夫，因为古人说君明臣直，魏征敢于直言，正因你太宗明断之故，所以值得庆祝。可见，长孙皇后用婉曲的方式引导丈夫施行理想的政治。马皇后在朱元璋打天下时，为将士准备军服，朱元璋因为宋濂弟弟犯罪要杀宋濂，听不进马皇后的劝谏，马皇后为皇帝准备食物时不上酒肉，说是为宋先生做福事，这一做法让朱元璋醒悟，最终赦免了宋濂。马皇后还改善朝臣们工作餐的质量和口味，并上升到"人主自奉欲薄，养贤宜厚"的认识高度。史家为塑造贤后而选择的事例非常令人玩味。长孙皇后、马皇后都是在后宫进行劝谏，她们用饮食为切入点进行劝谏,她们关注将士、朝臣的衣食等方面,这些内容似乎都可以归入"内""主中馈"的范围,但她们劝谏的内容以及对帝王决策的干预,目的都是朝廷政治,她们都引导着理想的政治。所以,所谓的内和外并不是绝对的,女性参政的正义性目的和策略性是史家十分看重的。

我们现在能看到一封真伪莫辨的曹操的卞夫人写给杨修母亲袁夫人的书信,信写于曹操杀杨修后不久。卞后赞美了杨修盖世文采,也说到杨修违反了军规,又批评丈夫太过性急,说自己当时也不知道,知道后有心肝涂地的痛苦,最后请求夫人宽恕,又送了一大堆衣服、文绢、官锦、牛和自己用过的车等等表示歉意。此信可一见未能防患于未然的后妃事后的补救之方,以及后妃与政治的关系。

史料中也写了很多祸水式的后妃,如褒姒、妲己、妹喜、赵飞燕姊妹、杨贵妃等等。此外,我们还应关注后宫政治中常见的宫斗式书写,这类书写想象宫廷充满了明争暗斗,怨恨,暴怒,不体面的、残酷的杀戮,武则天甚至有杀死自己亲生女儿嫁祸于王皇后的残忍之举等。史料中有点君子之争味道的后宫政治案例,是《后汉书》所写的邓皇后取代许皇后之事,可是这样的书写实在太少,现代人对古代后宫政治的想象更多是小人之争、毫无道义可言,其实这是一种刻板印象。

公主政治和宫女政治

公主、宫女因处于政治中心周围,可以有各种方式参与政治。比如公主身份特殊,她们的婚姻本身就是政治。关于这一点,女性也并非完全沉默,比如《左传》"闵公二年"记许穆夫人赋《载驰》。在这首诗中,许穆夫人就谈到卫侯女儿婚姻与国家生死存亡的关系,批评大夫君子的眼光短浅,称:"控于大邦,谁因谁极。大夫君子,无我有尤。百尔所思,不如我所之。"她主张与大国联姻,认为自己的考虑才是高瞻远瞩的。后来《韩诗外传》载,高子与孟子讨论许穆夫人想自己确定结婚对象是否违礼的问题时,就将公主政治问题纳入婚姻的框架中讨论,取消了其中的政治、外交属性。汉武帝时,和亲的两代乌孙公主都是汉与乌孙及其他西域国家间的外交使节。帝制时代也有公主参与本国朝政的案例,如上文提到的韦后的安乐公主,武则天的太平公主,这些人物都比较为读者所熟悉,这里我想举一位大家不太熟悉的孙权的全公主为例。

全公主是步夫人的长女,建安十五年(210)应该已出生了。孙权一辈子拖延立后,这使朝臣、后宫诸夫人甚至自己的儿女都大为忧虑和不平。孙权很有意思,他一有新宠,就让之前的夫人降级、让位,其中谢夫人、徐夫人都因为不愿意处于新人之下而被送到别的地方,但步夫人性不妒忌,对位于新人之下泰然处之。史书说步夫人因此而赢得孙权长期的尊重和喜爱,"久见爱待"。由于孙权后来颇有爱幸者,步夫人的"久见爱待",也可理解为时受冷落,这在步夫人或许可以安然处之,但在年少的长女全公主眼里,却深感屈辱。孙权晚年生病之后,全公主开始操纵东吴政治,这是东吴政治相当黑暗的时期。

当全公主可以操纵政治的时候,她最恨的是当年支持立徐夫人、不立她母亲的朝臣以及后来威胁她母亲地位的王夫人母子。支持立徐夫人为后的朝臣,好像不是为了政治集团利益,而是坚持以经训原则立后建储的一群士大夫。在太子孙登逝后,他们也以此为原则,支持以孙和(诸子中最年长者)为太子并立孙和母亲王夫人为后。但全公主加以阻挠,最终王夫人未得立。孙权"立子霸为鲁王",这是封建帝王的惯例,全公主开始借鲁王宫的建立网罗新进,利用自己的影响力形成了鲁王党,以鲁王挑战太子孙和,最终演化为全公主与捍卫经训的朝臣间的一场博奕和拼杀。

鲁王党在前台活跃的是全琮的儿子全寄和朝臣们的热衷于政治投机的年轻子弟,如诸葛恪的儿子诸葛绰等,背后指挥的是全寄的嫡母全公主。大约在赤乌八年(245),孙权得知孙和、孙霸二宫已闹得不可开交,想以二宫"并绝宾客"的方式使事态平息。这是一种各打五十板的做法,全公主则利用这一禁令进一步打击孙和。她告发孙和拜访太子妃叔父,违背了孙权"并绝宾客"的禁令。全公主以此事诋毁孙和而得逞,孙权最终废了太子,但同时赐鲁王霸死,这真是两败俱伤的做法。这时孙权已 68 岁,病得很重,他的成年儿子三去其二,而剩余一子孙休从未受宠,被驱遣到遥远的公安,所以孙权立 6 岁的孙亮为太子。

孙亮被立为太子后,全公主已报复了所有她想报复的人,从此之后,她更多表现为对专权的渴望。首先,她想通过立太子妃来控制这位小太子和未来皇帝。其次,她暗杀了潘皇后。因为潘皇后在太子即位后成了皇太后,对自己的政治地位构成威胁。再次，为独揽政权，她杀了孙弘和诸葛恪。最后，她甚至杀了自己名声较好的妹妹朱公主。然而全公主以策划"二宫争立"开始在政治上发挥作用，其本身不合道义，支持她的士大夫本来就很少，而赤乌十年，步骘去世；赤乌十三年，全琮去世及孙峻死后，母家、夫家有影响力的政治人物已消失殆尽，全公主陷入孤立无援。此时孙亮已十五六岁，不愿再受制于人，所以全家投降曹魏，全公主近十年的政治时代宣告结束。

有关宫人政治，我们对王昭君和亲的故事耳熟能详，所以不妨提出几个新问题来思考：第一，汉高祖以来都是公主和亲，为什么汉元帝时以王昭君这样的宫女和亲？第二，和亲的公主、宫女对两国政治、外交有没有产生过影响？第三，为什么和亲的乌孙公主自己有作品留存后世却鲜少关注，而王昭君自己并没有发出多少声音却引起一代代文学家丰富的想象和书写？

公元前 209 年，冒顿的新单于建立了一个新兴的草原帝国——匈奴。三年后，汉高祖刘邦在匈奴的南方建立了汉帝国，匈奴人经常侵入汉帝国边界，更让高祖恼火的是他们接受中国的变节逃亡者，包括韩王刘信、燕王卢绾、代郡太守陈豨等。公元前 200 年，高祖抓住韩王向匈奴投降的机会，亲率 30 万大军追逐匈奴至平城，不料落入了冒顿的埋伏，被困七天七夜，差一点被俘虏。武力不成，高祖采纳了刘敬的和解建议。公元前 198 年，刘敬去北方与冒顿议和，并达成了协议，其中包括送一位汉朝公主与单于结婚，送丝绸、稻米和其他食物等礼物给匈奴，汉匈成为兄弟之国等等。汉高祖曾派刘敬送一位身份可疑的汉朝公主嫁给单于，但冒顿因势力增强而越来越嚣张。公元前 192 年，冒顿甚至写信要求来中国与临朝称制的吕后结婚，《史记》《汉书》保存了冒顿来信和吕后的回信。冒顿信中说,他"数至边境,愿游中国。陛下独立,孤偾独居。两主不乐,无以自娱。愿以所有,易其所无"。冒顿说他常到中国边境,非常愿意到中国内陆来,说吕后和自己,一个是寡妇独立,一个是鳏夫独处,都非常不开心,希望两人能互通有无。吕后写信推辞,说自己"年老气衰""不足以自污",又说自己的国家无罪,"宜在见赦",并送了冒顿御车两乘,马两粗,再以公主和亲。文帝时,两国继续施行和亲政策,但并未能阻止匈奴不时的侵扰。汉武帝是一位有雄心壮志的帝王,公元前129年,4万中国骑兵突然袭击边境市场的匈奴人,前127年,将军卫青率军队从云中前往陇西,从匈奴手中夺回了鄂尔多斯,10万中国人移居此地,成立了朔方郡和五原郡。前121年,将军霍去病西出陇西,六日内转战匈奴五部,夺取了焉支山和祁连山区域,匈奴浑邪王带着4万人投降,迫使单于带着王廷逃到戈壁以北,至此,汉武帝奠定了汉朝向西域扩张的牢固基础。在之后的70年间,汉匈继续为控制西域而斗争,同时匈奴帝国内部出现权力之争而瓦解了。公元前53年,匈奴呼韩邪单于决定接受与汉朝的贡纳关系,由原来的兄弟之国降为朝臣。所以,公元前51年,匈奴呼韩邪单于的朝觐之旅,标志着汉匈关系的巨大改变,是汉帝国外交政治的巨大胜利。其后,呼韩邪单于借助汉朝支持,民众益盛,后得以返回蒙古草原,而原来威胁他的哥哥郅支单于又被西域都护杀掉,所以呼韩邪单于决定第三次朝觐汉帝。公元前33年正月,呼韩邪单于到达长安,来修朝贺之礼。汉元帝太高兴了,他为此改国号为"竟宁",即最终安宁了,可知单于这次到来的意义。单于自言愿为汉家女婿以自亲,元帝以"后宫良家子王嫱字昭君赐单于,单于欢喜"。"良家子",如淳的解释是"医商贾百工不得豫",也就是说王昭君是士农人家出生的宫人,她不是汉高祖以前的公主或者名义上的公主,而是平民出生的宫女,这个身份正好与单于门当户对。

400 年后,范晔写《后汉书·南匈奴传》爆出王昭君因为在元帝宫中"不能见御,自悲怨,乃请掖庭令求行",这或许多多少少把握住了王昭君想有所作为的心态。王昭君及其亲人和后人确实为汉匈外交作出了贡献。《汉书·匈奴传》记载,汉平帝即位后,依照呼韩邪单于时订立的朝贡制度,单于应送一名质子来汉。因为平帝年幼,太皇太后王政君临朝称制,她暗示匈奴派王昭君女儿须卜居次云入侍太后。云一直是匈奴政治中"欲与中国和亲"的代表性人物,她和她的夫婿主导匈奴越位立了乌累若鞮单于。乌累单于立后,云、当夫妇劝他与汉和亲,《汉书·匈奴传》记载:"云、当遣人之西河河虎制虏塞下,告塞吏曰:欲见和亲侯。和秦侯王歙者,王昭君兄子也。"于是,王莽派王歙及其弟骑都尉展德侯王飒出使匈奴。可见,到王莽时期,主导汉匈外交的使节一直是王昭君的家人和后人。

由此,我想表达的是,与其说历史上缺乏女性政治,不如说是我们的研究还没有充分发掘和展开,以上两例只是从《汉书》《三国志》中钩稽的史料,这提醒我们,妇女研究前景还很广阔。

古代妇女的齐家与治国理想

中国古代有女性政治领袖,在讲求内外之分的政治环境中,就必然产生辅助女主的、出身士人家庭的女政治家,如辅佐马皇后的班昭,辅佐武则天的上官婉儿。又如辅佐汉武帝时第二位乌孙公主的冯嫽,《汉书》说她精通历史,熟悉政事,作为乌孙公主使节出使西域各国和乌孙各城邦,各国人都非常信任冯嫽,称她为冯夫人。

如果我们认为只有任社会公职者才可能参与政治,那么在中国古代,绝大部分妇女并无社会公职,也没有禄位可言,但是孔子说"君子谋道不谋食……忧道不忧贫"(《卫灵公》),《孟子》推崇"无官守""无言责"的不受禄之士(《公孙丑》),无官守而能忧道、行道者甚至是先秦儒家、道家理想的人生状态。从这一意义上说,妇女无公职并不妨碍她们的参政、谋事。《大学》说:"自天子以至于庶人,壹是皆以修身为本。""身修而后家齐,家齐而后国治,国治而后天下平。"将修身、齐家、治国、平天下放在一个事业链中,从这一意义上讲,中国古代妇女齐家、保家未尝不是一种参与社会政治的实践。我们用魏晋之际妇女辛宪英之例做些说明。

辛宪英的父亲辛毗与魏文帝关系紧密,辛宪英嫁于羊氏,羊氏又与司马氏联姻,羊祜姐姐是晋景帝皇后,又有姊妹嫁给夏侯玄。在司马氏代魏的过程中,夏侯氏拥曹,羊氏颇倾向于司马氏,所以辛氏家族处于当时政治斗争的风口浪尖之上。在危急关头,辛宪英是自己娘家和夫家决策的重要人物。她明确地说过自己为这个国家担忧,更为家族担忧,但是"国之大事,必不得止也",她也无能为力,所以只能更多在保全家族上出力。嘉平元年(249)正月,齐王芳拜谒明帝高平陵,大将军曹爽随其一同出城,太傅司马懿趁机关闭城门,并带领军队出击曹爽。当时辛宪英的弟弟还在城内,大将军曹爽的司马鲁芝带领大将军府军来邀请他一起出城保卫大将军。辛宪英的弟弟当时不知道如何是好,就让姐姐帮他拿主意,辛宪英让弟弟随鲁芝出城保主,并告诉他,因为你是大将军的属官,你必须要忠于职守。她给弟弟分析情况,此次曹爽必败,但司马懿在此用人之际,绝不会滥杀,他只是冲着曹爽去的,所以弟弟你是安全的。文中还写到辛宪英敏锐地看出钟会有不可久居人下的性格,她忧患国家会有事,但国家的事也不是她凭个人能力所能阻止,所以她以仁恕之道勉励自己的儿子,使儿子们在乱世能够全生。依辛宪英的想法,虽然在乱世,也不能丢掉基本的道德准则。她虽然不认为一个人应该从绝对意义上去忠于当朝君主,但认为个人必须行仁义、忠信,其最实在的表现就是忠于职守,各为其主。个体如果能行仁义,能忠恕,这样一朝一代可能会变,但社会的基本道德不会变,个人在任何时代都能保全。她有以道德文化精神超越一家一姓政治效忠的见识,这是中国古代妇女通过齐家、保家达到治国、平天下的实例。辛宪英事迹主要见于《三国志·魏书·辛毗传》裴注所引《世语》。

中国古代有不少妇女很有社会政治理想,比如清代女诗人梁兰漪。她在一首叫《浩歌》的诗中写道,她虽然是个女性,但从小就有这样的愿望,希望自己是个教育者,能摇着木铎走在路上,公开宣讲,启迪世人;希望能救济桑树荫下挨饿的人们;希望能修建广厦千间,有良田万区,给天下贫寒孤独的人以庇护;希望自己能拥有高牙大纛,大富大贵,然后就可以庇护天下苍生。在《七歌》一诗中她哀叹道,造物主跟她有仇,让她成为一个女人,她平生志气极高,相信自己只要有机会,就一定能建立大业奇勋,但在现实社会中却无法实现自己的理想,只能在梦中攀登天府,得以封侯。清代骆绮兰,幼时也有许多奇梦。一次是梦到自己是一名书生,征才赴考场,写出了锦绣文章,蟾宫折桂,金榜题名,于是"春风得意马蹄急,一日看遍长安花",身后是高高扬起的十里香尘。一次是梦到她来到了边关,她带领的军队如雷霆电光般快捷有威力,排起的阵势十分奇妙。她在塞外抒发自己的雄才大略和壮烈情怀,然而钟声敲醒了她的梦,环视四周,脚上依然穿着让自己无法大步行走的小小的弓鞋。有些女性的社会理想似乎得到了部分实现,如唐代的宋氏五姊妹:若莘、若昭、若伦、若宪、若荀。她们是贝州清河(今河北)人,一生不肯结婚,"愿以艺学扬名显亲"。德宗贞元四年(788),昭义节度使李抱真将她们推荐给德宗皇帝,从德宗到文宗太和九年(835)甘露事变前的约 50 年中,若莘、若昭、若宪三姐妹先后掌管宫中图籍,宪宗、穆宗、敬宗也都以"学士""先生"来称呼宋若昭。五代的黄崇嘏则以女扮男装的方式参加并通过了科举选拔,获得公职,部分实现了自己的社会理想。

此外,女性还以从军、守节等特殊方式参与政治。如沈德符在《万历野获编》卷二十三"二妇全边功"中记载,明正统十四年(1449),辽东广宁右卫指挥金事赵忠守镇静堡,北虏入犯,包围城堡,情况十分危急,赵忠妻子左氏对丈夫说:"我宁愿死,也不愿城破受辱,请你努力吧!"于是她带领母亲以及三个女儿一起上吊自尽。赵忠感愤于母亲、妻女的死,更加坚定地守城,最终敌人解除了包围,城内军民得以保全。赵忠母亲、妻女的死激励了士气,上级知道后,封赠左氏为淑人，官方赐葬并举行公祭，旌其门为"贞烈"，丈夫赵忠升职为指挥同知。中国古代妇女，特别是明清时代的妇女，用守节方式参与了国家和地方的道德建设，也是妇女参与政治的一种方式。

原典选读

鲁漆室女

漆室女者,鲁漆室邑之女也,过时未适人,当穆公时,君老,太子幼,女倚柱而啸,旁人闻之,莫不为之惨者。其邻人妇从之游,谓曰:"何啸之悲也?子欲嫁耶?吾为子求偶。"漆室女曰:"嗟乎!始吾以子为有知,今无识也。吾岂为不嫁不乐而悲哉!吾忧鲁君老、太子幼。"邻妇笑曰:"此乃鲁大夫之忧,妇人何与焉。"漆室女曰:"不然,非子所知也。昔晋客舍吾家,系马园中,马佚驰走,践吾葵,使我终岁不食葵。邻人女奔随人亡,其家倩吾兄行追之,逢霖水出,溺流而死,令吾终身无兄。吾闻河润九里,渐洳三百步,今鲁君老悖,太子少愚,愚伪日起,夫鲁国有患者,君臣父子皆被其辱,祸及众庶,妇人独安所避乎?吾甚忧之,子乃曰妇人无与者,何哉?"邻妇谢曰:"子之所虑,非妾所及。"三年,鲁果乱,齐楚攻之,鲁连有寇,男子战斗,妇人转输,不得休息。君子曰:远矣,漆室女之思也!诗云:"知我者,谓我心忧,不知我者,谓我何求。"此之谓也。(《列女传·仁智篇·鲁漆室女》)

太皇太后王细君诏书

太后下诏曰:盖闻母后之义,思不出乎门阃。国不蒙佑,皇帝年在襁褓,未任亲政,战战兢兢,惧于宗庙之不安。国家之大纲,微朕孰当统之?是以孔子见南子,周公居摄,盖权时也。勤身极思,忧劳未绥,故国奢则视之以俭,矫枉者过其正,而朕不身帅,将谓天下何!夙夜梦想,五谷丰熟,百姓家

给,比皇帝加元服,委政而授焉。今诚未皇于轻靡而备味,庶几与百僚有成,其勖之哉!(汉班固《汉书·王莽传》)

东汉邓太后诏书

禁供荐新味诏:(安帝)七年正月,(邓皇后)初入太庙……谒宗庙,率命妇群妾相礼仪,与皇帝交献亲荐,成礼而还。因下诏曰:"凡供荐新味,多非其节,或郁养强孰,或穿掘萌牙,味无所至而夭折生长,岂所以顺时育物乎!传曰:非其时不食。自今当奉祠陵庙及给御者,皆须时乃上。"凡所省二十三种。(南朝宋范晔《后汉书·皇后纪·邓皇后纪》)

宋刘皇太后诏书(乾興元年(1022)二月癸亥

中书门下牒枢密院:今月二十四日准皇太后手书赐丁谓以下,近以爨罚所钟,攀号罔极,上赖邦家积德,皇帝嗣徽,中外一心,永隆基构。先皇帝以母子之爱有异常伦,所以遗制之中权令处分军国事,勉遵遗命,不敢固辞,然事体之间,宜从允当。自今已后,中书、枢密院军国政事进呈皇帝后,并只令依常式进入,文书印画在内庭;亦不妨与皇帝子细看览商议;或事有未便,即当与皇帝宣召中书、枢密院详议。如中书、枢密院有事关机要,须至奏覆,即许请对,当与皇帝非时召对,即不必预定奏事日限。盖念先朝理命,务合至公,其于文武大臣、内外百辟推诚委任,断在不疑,缅料忠贤,各怀恩义,必能尽节以佐昌朝。愿予菲躬,得守常典,兴言及此,五内伤摧,故兹示谕,咸使知悉。(宋佚名编《宋朝大诏令集》卷十四)

武则天皇后表

（麟德二年（665））十二月，车驾至山下。及有司进奏仪注，封祀以高宗、太宗同配，禅社首以太穆皇后、文德皇后同配，皆以公卿充亚献、终献之礼。于是皇后抗表曰："伏寻登封之礼，远迈古先，而降禅之仪，窃为未允。其祭地祇之日，以太后昭配，至于行事，皆以公卿。以妾愚诚，恐未周备。何者？乾坤定位，刚柔之义已殊；经义载陈，中外之仪斯别。瑶坛作配，既合于方祇；玉豆荐芳，实归于内职。况推尊先后，亲缳琼筵，岂有外命宰臣，内参禋祭？详于至理，有紊徽章。但礼节之源，虽兴于昔典；而升降之制，尚缺于遥图。且往代封岳，虽云显号，或因时省俗，意在寻仙；或以情觊名，事深为己。岂如化被乎四表，推美于神宗；道冠乎二仪，归功于先德。宁可仍遵旧轨，靡创彝章？

妾谬处椒闱，叨居兰掖。但以职惟中馈，道属于蒸、尝；义切奉先，理光于苹、藻。罔极之思，载结于因心；祇肃之怀，实深于明祀。但妾早乖定省，已阙侍于晨昏；今属崇禋，岂敢安于帷帟。是故驰情夕寝，眷嬴里而翘魂；迟虑宵兴，仰梁郊而耸念。伏望展礼之日，总率六官内外命妇，以亲奉奠。冀申如在之敬，式展虔拜之仪。积此微诚，已淹气序。既属銮舆将警，莫璧非赊，辄效丹心，庶裨大礼。冀圣朝垂则，永播于芳规；萤烛末光，增辉于日月。

于是祭地祇、梁甫，皆以皇后为亚献，诸王大妃为终献。（后晋刘昫等撰《旧唐书·礼仪志三》）

卞夫人《与杨彪夫人袁氏书》

卞顿首：贵门不遗，贤郎辅佐。每感笃念，情在凝至。贤郎盛德熙妙，有盖世文才，阖门钦敬，宝用无已。方今骚扰，戎马屡动。主簿股肱近臣，征伐之计，事须敬咨。官立金鼓之节，而闻命违制。明公性急忿然，在外辄行军法。卞姓当时亦所不知，闻之心肝涂地，惊愕断絶，悼痛酷楚，情自不胜。夫人多容，即见垂恕，故送衣服一笼，文绢百匹，房子官锦百斤，私所乘香车一乘，牛一头。诚知微细，以达往意，望为承纳。（佚名编，宋章樵注《古文苑》卷十）

冯夫人

初，楚主侍者冯嫽能史书，习事，尝持汉节为公主使，行赏赐于城郭诸国，敬信之，号曰冯夫人。为乌孙右大将妻，右大将与乌就屠相爱，都护郑吉使冯夫人说乌就屠，以汉兵方出，必见灭，不如降。乌就屠恐，曰："愿得小号。"宣帝征冯夫人，自问状。遣谒者竺次、期门甘延寿为副，送冯夫人。冯夫人锦车持节，诏乌就屠诣长罗侯赤谷城，立元贵靡为大昆弥，乌就屠为小昆弥，皆赐印绶。破羌将军不出塞还……

元贵靡子星靡代为大昆弥，弱，冯夫人上书，愿使乌孙镇抚星靡。汉遣之，卒百人送焉。（《汉书·西域传》）

王昭君

竟宁中，呼韩邪来朝，与伊秩訾相见，谢曰："王为我计甚厚，令匈奴至今安宁，王之力也，德岂可忘！我失王意，使王去不复顾留，皆我过也。今欲白天子，请王归庭。"伊秩訾曰：
"单于赖天命，自归于汉，得以安宁，单于神灵，天子之祐也。
我安得力？既已降汉，又复归匈奴，是两心也。愿为单于侍
于汉，不敢听命。"单于固请不能得而归。

王昭君号宁胡阏氏，生一男伊屠智牙师，为右日逐王。
呼韩邪立二十八年，建始二年死。始呼韩邪嬖左伊秩訾兄呼
衍王女二人。长女颛渠阏氏，生二子，长曰且莫车，次曰囊知
牙斯。少女为大阏氏，生四子，长曰雕陶莫皋，次曰且麋胥，
皆长于且莫车，少子咸、乐二人，皆小于囊知牙斯。又它阏氏
子十余人。颛渠阏氏贵，且莫车爱。呼韩邪病且死，欲立且
莫车，其母颛渠阏氏曰："匈奴乱十余年，不绝如发，赖蒙汉
力，故得复安。今平定未久，人民创艾战斗，且莫车年少，百
姓未附，恐复危国。我与大阏氏一家共子，不如立雕陶莫
皋。"大阏氏曰："且莫车虽少，大臣共持国事，今舍贵立贱，后
世必乱。"单于卒从颛渠阏氏计，立雕陶莫皋，约令传国与弟。
呼韩邪死，雕陶莫皋立，为复株累若鞮单于。

复株累若鞮单于立，遣子右致卢儿王醢谐屠奴侯入侍，
以且麋胥为左贤王，且莫车为左谷蠡王，囊知牙斯为右贤王。
复株累单于复妻王昭君，生二女，长女云为须卜居次，小女为
当于居次……

是时，汉平帝幼，太皇太后称制，新都侯王莽秉政，欲说
太后以威德至盛异于前，乃风单于令遣王昭君女须卜居次云
入侍，太后所以赏赐之甚厚……

乌珠留单于立二十一岁，建国五年死。匈奴用事大臣右
骨都侯须卜当，即王昭君女伊墨居次云之婿也。云常欲与中
国和亲，又素与咸厚善，见咸前后为莽所拜，故遂越舆而立咸
为乌累若鞮单于。

乌累单于咸立，以弟舆为左谷蠡王。乌珠留单于子苏屠

胡本为左贤王,以弟屠耆阏氏子卢浑为右贤王。乌珠留单于在时,左贤王数死,以为其号不祥,更易命左贤王曰护于。护于之尊最贵,次当为单于,故乌珠留单于授其长子以为护于,欲传以国。咸怨乌珠留单于贬贱已号,不欲传国,及立,贬护于为左屠耆王。云、当遂劝咸和亲。

天凤元年,云、当遣人之西河虎猛制虏塞下,告塞吏曰欲见和亲侯。和亲侯王歙者,王昭君兄子也。中部都尉以闻,莽遣歙、歙弟骑都尉展德侯飒使匈奴。(《汉书·匈奴传》)

古代妇女的经济生活

　　此章我将打破过去对家庭妇女、三姑六婆、青楼妇女的道德和等级区分，从纳税人的角度讨论妇女的社会经济角色，然后分别讨论家庭妇女、职业妇女和青楼妇女对于社会经济的贡献。

古代妇女纳税人身份的变化和意味

　　纳税是个人将自己财产的一部分按照一定的比例上缴给税务部门,政府把这些收入用于国家的经济、军事、外交和发放公职人员工资等,所以纳税人身份和纳税多少实际上可以衡量一个人对于国家经济贡献的大小。从纳税人的角度看,所纳税额由政府决定,虽然税额的确定有其合理性,但也带有相当大的强制性。既然要从财产中切出一部分,那么纳税人一般还是希望越少缴越好。我们就从这一简单平实的道理和角度来看一看中国古代妇女作为纳税人身份的变化。

　　帝国之始的秦代,确立了以人头税(赋)和土地税(税)为主的赋税征收方法,这种征税方法延续了很长时间。在帝国晚期,由于实现了"一条鞭法""摊丁入亩""滋生人口,永不加赋"等税收政策,税收与人丁的关系才越来越分离,而与土地的关系越来越密切。在人头税和土地税中,人头税涉及男、女作为人丁类型的不同,土地税涉及男、女占田和课田多少的不同,所以与性别关系密切。我们先看人头税。秦时,人头税并无男女之分。西汉时,人头税依年龄分口赋和算赋:民七至十四岁出口赋二十钱,十五岁以上至五十六岁出算赋,但"民"包括男女,没有性别之分。此时,服兵役和徭役只限于男性,男子二十三岁(景帝时改为二十岁)开始应兵役及徭役,年五十六免除,女性没有这类义务。东晋对女性成丁有了新规定,"男女年十六以上至六十为丁……女以嫁者为丁,若在室者,年二十二乃为丁"。也就是说,女性若出嫁,年十六即为丁,如果未嫁,年二十二才开始纳税。这一政策倒不一定是歧视女性,或可解释为东晋对生女儿家庭征税方面的一种优惠,政府不鼓励早婚,同时也不鼓励将女儿留到太大才让她出嫁。宋太祖乾德元年开始明确规定,各个州每年要上报所在州的户账,这个时期的丁口,男夫是二十岁为丁,六十岁为老,但可以不统计女口。政府不对女性人口进行勘查,是否意味着女性不再承担赋税义务呢?是否意味着女性的社会经济地位下降?我以为是不对的,因为宋代存在女户,以女性为户主的女户同样要承担地税义务,所以对男性户主的家庭不计女性丁口,意味着古代社会以户为承担赋税的单位。

我们从敦煌文书龙图桔文书二六号《唐开元年代西州高昌县武城乡人田门孔辞》看一看男户、女户纳税情况以及纳税人的心态。文书如下:

年二月　日、武城乡人田门孔辞

无那

开十五年、娶上件女妇为妻。

校承

　　　娶已来、门孔身户徭油、自

　　　被里正更索妻无那分大税钱。无

　　　共妻无那、若有常部田地半亩、

　　　昨蒙并合一户。夫妻即得

　　　被里正撮两户税钱切急。

　　　帐(长)官用怀、政直

　　　聂县已来就戍、贫□

　　　往、不可不陈。

　　　辞。

　　在这份文书中,无那是上件女妇,她应该是一位女户主,所以需要缴纳大税钱,她在与田门孔结婚后被要求继续纳税。她的丈夫申诉说,他们两户已通过结婚合并为一户,无那将财产并入了夫家的名下,因而适用另一种征收方法,不应该再交大税钱了。可以想象,未来田门孔户存在,无那女户消失,也从缴纳大税钱的名单中消失,而这对夫妇是非常乐意无那不再要缴纳大税钱的。但无那是不是真的不承担赋税了呢?不是的,夫妇俩并田后,家庭占有的土地增多,人丁有增加,就有一个新的税收模式,于是夫妇共同劳动一起承担这个家庭的各种赋税。

　　中国古代还实行过占田制,土地的占有者也是赋调和徭役的承担者。比如《晋书·食货志》记载了西晋时的规定:"丁男之户,岁输绢三匹,绵三斤,女及次丁男为户者半输。男子一人占田七十亩,女子三十亩。其外丁男课田五十亩,丁女二十亩,次丁男半之,女则不课。"男子占田数多,课田数也相应地多,女子占田数小,课田数亦少,显示出以男女劳动力强弱的一般认识设置社会义务的赋税思路。这里有三个因素值得考虑:第一,占田制的前提是国家通过某种方式拥有大量的土地,古代平民占田主要有西晋、北魏、北齐、北周、

59

隋、唐前期,宋代虽然继承唐朝的国家对土地拥有绝对所有权的观念,但不得不面对田地大量私有化的现实。如梁方仲据《文献通考》卷四《田赋四》统计出了北宋元丰年间官、民田数及其百分比,发现诸路民田占田地总额达到98.63%,可想而知,北宋政府就不能广泛地以田授民。第二,即使是实行占田制的年代,赋税也是以户为单位征收的。第三,妇女免课并不是无视妇女的社会身份,而是在国家赋税来源充足的情况下,给予社会弱势群体的照顾。如《隋书·食货志》载,公元604年,隋炀帝刚即位时,免除妇女和奴婢部曲的课税,因为"是时户口益多,府库盈溢"。同时,这也符合古代未受地者皆不课的原则。

在中国古代,调往往以布、绢的形式出现,如梁武帝天监元年规定"始去大赀,计丁为布"(《梁书·良吏传序》)。《隋书·食货志》载梁课法:"丁男调布绢各二丈,丝三两,绵八

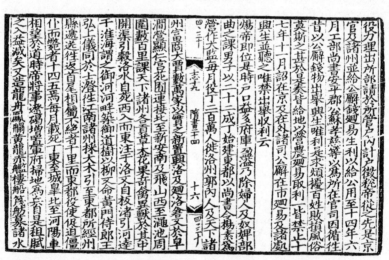

"炀帝即位,是时户口益多,府库盈溢,乃除妇人及奴婢部曲之课。"——百衲本二十四史,《隋书·食货志》

两,禄绢八尺,禄绵三两二分,租米五石,禄米二石。丁女并半之。"《旧唐书·食货志》载:"调则随乡土所产,绫、绢、绝各二丈,布加五分之一。"即使一些正租,也可以用蚕桑绢帛折算。比如梁方仲根据《通典》卷六《赋税》统计出唐天宝中岁入钱粟布绢绵之数,除了岁入布绢绵 2700 万端屯匹外,岁入粟米中也有 12% 是以绢布折充的。又如北宋至道末年实收租税中,就有绢、绝、绸、布、丝线、绵等名目,而且数目庞大,如绢 27.3 万匹,丝线 141 万两等。政府和百姓都知道这些布、绢、绵等等多出于妇女之手。

综上所述,中国古代社会以户为承担赋税的单位,所以,有的历史时期,不以妇女为丁口,并不意味着妇女不承担赋税义务,她们反而是重要的纳税人。

家庭妇女的经济生活

饥寒是人类面临的最原始的困难,衣食是人类得以生存的最基本的物质保障,在这一认识的基础上,中国古代以家庭为中心建构了"男耕女织"的夫妇/男女劳动和经济协作关系。我们过去过于强调男女分工的对立关系,我以为更要看到这一建构中协作一体的关系,夫妇/男女通过劳动共同建设温饱富足的家庭,无数温饱富足的家庭构成了富足的社会。

"男耕女织"在早期文献中有多种表述,如《商君书·画策》中为"神农之世,男耕而食,妇织而衣"。可见,男人提供食物、女人提供衣服这一分工协作劳动和经济模式可上溯到神农之世。贾谊《论积贮疏》引古人之说称:"一夫不耕,或受之饥;一女不织,或受之寒。"《周礼·天官》还将"女织"置于社会职业层面,将"嫔妇,化治丝枲"作为大宰所掌管的"任万民"的"九职"之一,与农夫、园圃、虞衡、薮牧、百工、商贾、银行家、经纪人等并列,认为"女织"是社会职业中不可缺少的一部分。以"女织"为中心,妇女劳动可前后延伸为丝织的采桑、养蚕、治茧、缫丝、织缣、织素、织绮罗、织流黄等等,棉织的拾棉、轧棉、弹棉、纺纱、抽纱、织布,麻织的采苴、采枲、沤麻、编织,还有采羊绒、编织羊绒,采葛、成葛布,以及各种剪裁、缝纫、织补、刺绣等等。总之,妇女劳动具有上供赋税、下给俯仰的经济用途。

《诗经·七月》中提到"九月授衣",又说"无衣无褐,何以卒岁",然而如何能够做到"九月授衣"呢?诗歌在第二段写了女子春日采桑，八月开始纺织、给布染色、做成成衣。《列女传》中的贤母、贤妻往往在采桑或织机前，以纺织的道理谈论政治。比如孟母，少年孟子学中归家，孟母正在纺织，于是她用剪刀"咔嚓"一声剪断了正在织的织物来告诫孟子不可中道废学。鲁季敬姜用纺织用具、纺织方法来讨论政治。又比如鲁秋胡妻是在采桑时遇到结婚五日、外出五年归来的丈夫的，丈夫已不认得自己的妻子，用金钱引诱她，秋胡妻回答道：我采桑力作，纺绩织纴，让自己衣食有着，我还可以奉养双亲，养活丈夫和儿女，所以不接受你的金钱。汉代钜鹿的陈宝光妻，会织十分精美高雅的散花绫，每匹值万钱，完全可以发财致富（《西京杂记》）。明代归有光的《张母太安人寿序》，记录了一位早寡妇女，她一个人独立支撑门户，靠精湛的辟纻技术养活自己和 7 岁的儿子，并供他读书，儿子后来高中进士。

自唐代开始，凡天下十道，任土所出而为贡、赋之差，各地缴纳调赋的织物名目尤其繁多。梁方仲根据《大唐六典》《通典》《新唐书》等统计，有绵（丝之精细者）、绢（厚而疏的丝织物）、绝（粗细经纬不同的丝织品）、绅（抽引粗茧绪纺而织的丝织品）、袄（针缕所缝制的衣料）、丝、麻、麻布、火麻、火麻布、落麻布、纻布、葛布、赀布、蕉布等，贡赋数量都十分庞大。可以想象，唐朝全境的妇女似乎都要投入纺织劳动。陆龟蒙在《奉和夏初袭美见访题小斋次韵》诗中写道："四邻多是老农家，百树鸡桑半顷麻。尽趁清明修网架，每和烟雨掉缲车。"陆龟蒙是吴地人，江南种桑、纺丝不出乎我们意料。李白在《赠清漳明府侄聿》诗中也说："缲丝鸣机杼，百里声相闻。"清漳是今天的河北肥乡，唐代时也会有丝织吗？查梁方仲的"唐开元二十五年调赋绵绢麻布等物的区域分布表"，河北道确有绵、娟、丝的贡赋。《通典》卷六《食货六》载，天宝中

"度支岁计粟则 2500 余万石（地税 1240 万石，租 1260 万石），布绢绵则 2700 余万端屯匹（布 1605 端，其中庸调布1036端，折租布 570 端，庸调绢 740 万匹，绵 185 万屯，其余为资课及勾剥），钱则 200 余万贯"。据隋唐五代经济史专家推算，开元、天宝时期，米价平均一斗十五文左右，绢价平均每匹二百文左右，粟价相当于米价的 60%，匹绢价约等于布价，那么，2500 万石粟等于 1500 万石米，折合钱数是 225000 万文，也就是 225 万贯，而布绢 2345 端匹，折合钱数为 469000 万文，即 469 万贯，仅仅以粟、绢、布比较，女织就是男耕贡献的2.08倍，可见女织在国家经济生活中具有举足轻重的作用。

如果父母让蚕女出嫁，又如何能完成这些赋税呢？这就可以解释为什么唐代会出现大量的有关织女的诗歌，特别是蚕女不能及时出嫁的主题被反复吟咏。如司马扎的《蚕女》诗写道："妾家非豪门，官赋日相追。鸣梭夜达晓，犹恐不及时。但忧蚕与桑，敢问结发期。"从种桑、采桑、养蚕到成丝，再从丝到成衣，中间工序太多，蚕女太忙碌了，她们整天担心蚕，担心桑，担心不能完成官赋，所以日夜赶工，无法顾及自己的婚姻。元稹的《织妇词》也说："织妇何太忙，蚕经三卧行欲老。蚕神女圣早成丝，今年丝税抽征早。"最后导致"东家头白双女儿，为解挑纹嫁不得"。因为两个女儿精通"挑纹"的特殊纺织技艺而白头不得嫁，可见女性在家庭经济和国家经济中的支柱作用。家庭中的织妇甚至无暇顾及哺育儿女。贯休诗《偶作五首》之一中有这样的句子："尝闻养蚕妇，未晓上桑树。下树畏蚕饥，儿啼亦不顾。"中国古代社会观念和法律实践中，以女儿出嫁作为社会身份的开始，而哺乳是母亲最典型的职责，唐诗竭力表现养蚕贡赋对于这些女性职能的挤压。养蚕作为家庭经济生产还是社会经济生产的界限已经十分模糊，中国古代妇女以自己的方式为社会经济做出了极大的贡献。

司马光在一份奏折中谈到宋代耕夫蚕妇的物质创造和对家庭、社会的经济承担。他说四民之中,农家最苦,农夫寒耕热耘,戴星而作,戴星而息,蚕妇育茧治蚕,绩麻纺纬,一针一梭,寸寸缕缕而成,勤劳到了极点。而且他们极易受到水旱霜雹蝗蜮等自然灾害的影响,如果天公作美,农桑有些收获,但要缴纳公家租税、私人借债,谷物还未离打谷场,织物还未下织机,就已经不归自己所有了,因而农夫蚕妇自己"所食者糠籺,所衣者绨褐不完",生活极其贫寒困苦(《宋史·食货志》)。司马光将耕夫、蚕妇并列,指出他们辛勤劳作,共同创造物质财富,承担公(国家)私(家庭)之债。明清妇女更是如此。《明太祖实录》记录了明洪武年间国家税收如何从征粮折变为征纺织品的过程。洪武三年(1370),因军士急需用布,明太祖准户部奏请,下令盛产棉布的松江府以布代输秋粮,这是明代地租折征之始。洪武六年,以布代租的区域扩大,直隶各府州县以及浙江、江西两省本年都可以以布代秋粮。洪武九年,代输的范围由局部地区扩大到全国,同年四月,明太祖下令天下郡县税粮,除诏免外,都以银、钱、钞、绢代纳。洪武三十年(1397),税粮折收布、绢、棉花、金、银等物,并正式定制。户部议定折征之法,金一两,折米十石;银一两,折米二石;绢一匹,折米一石二斗;棉布一匹,折米一石;苎麻一匹,折米七斗;棉花一斤,折米二斗。徐光启在《农政全书》卷三五中说:"所由供百万之赋……全赖此一机一杼而已。"真的是毫不夸张的说法。

清雍正年间颁行的《常税则例》对消费税有很细致的规定。它对市场买卖中的䌷袍料、䌷褂料、䌷衫料、䌷短袄、䌷裤、䌷裙、䌷夹褂、䌷戏衣、䌷下军甲、䌷套裤以及洋䌷、宫䌷、棉䌷、串䌷、素䌷、潞䌷、西洋䌷、各地䌷、各地丝、各种羢等等,都规定了固定的税收和税率,这些纺织品或成衣的制造绝大部分仰赖妇女之手,一丝一缕、一针一线地完成,我们可以借此想象中国古代妇女在国家商业税收中的贡献。

上述妇女,主要是小农经济和织造户中的织妇、织女。相对来说,取得一定功名的读书人家会享受各种赋税减免,对妇女纺织的依赖性可能相对减弱。不过即使是巨富之家的妇女,传记作家也会强调她们的勤奋纺织对于家庭财政的重要性。如明代钱希言为徐媛《络纬吟》写序时说,徐媛丈夫范允临的父亲去世后,家道中落,他客居在徐媛家中,徐媛劳苦纺织,经常变卖自己的首饰供范允临读书,不让自己的父亲知道。范允临十四五岁时父母相继去世,但范家有山有田有宅,更重要的是徐媛家经高祖、曾祖两世经商,已成巨富,徐媛祖父、父、叔父又都进士及第,徐媛父官至太仆少卿,苏州留园主人。在徐媛、范允临结婚后不久,徐家曾一次性买入太仓凌元超家的数百亩洼地。徐家、范家都财力雄厚,徐媛似乎不需要通过劳苦纺绩来供丈夫读书,所以这里的"劳苦夜绩"已成为妇女德行的符号,是古代夸赞妇女的标准,透露出古代社会以劳苦纺绩为妇女美德的价值观念。可见,家庭妇女的纺织不但具有经济价值,也具有道德实践的价值。

职业妇女的经济生活

　　织女因纺织工作不能适时出嫁,织妇因养蚕、纺织忙碌到不能按时给婴儿哺乳,如果以个人服务社会并作为主要生活来源的工作来定义职业的话,纺织就是上述织女、织妇的职业,但古代习惯性地从家庭身份的角度称呼她们为织妇、织女。我们这里的"职业妇女"当然在家庭中也是为女、为妻、为母的,但她们的公开身份是按照自身的社会职业来界定的。

　　中国古代也有很成功的职业妇女。比如,秦代巴地寡妇清,成功地经营家族矿业,她一定给予了政府很大的经济支持,所以秦始皇为她筑女怀清台(《史记·货殖列传》)。又如唐代大历、贞元间,有位从事船运生意的俞大娘,堪称当时的船王,因为她的船最大,生意遍布南北,营利很多(《唐语林》)。以下我们主要谈谈从业人数较多、又受当时社会诟病的"三姑六婆"。

　　三姑指尼姑、道姑、卦姑,是从事宗教实践并为社会提供宗教服务的女性。据唐代僧人法琳、道世、道宣的追述,东晋有僧尼 2.4 万人,南朝宋有 3.6 万人,梁朝皇帝尤其崇佛,所以僧尼人数骤增至 8.27 万人。北朝僧尼人数有 200 万、300万、400 万之说,现在一般取《魏书·释老志》《广弘明集》的200 万之说,这是历史上僧尼人数的最高点。根据新、旧"唐书"记载,盛唐僧尼人数有 12.61 万人,晚唐约有 26.05 万人。研究者认为,自隋代迄明清,社会僧尼势力一直在增加之中,宋代应有僧尼 20 多万人至 40 多万人,元明清三代僧尼的最高人数大体在 50 万人至 100 万人之间。各时代尼姑在其中所占比例不等。唐代的尼姑数约占总数的 40%，即五六万至十万人。宋代女尼约占僧尼总人数的 11.55%，约 3 万至 6 万人，清代尼姑约占 7.2%，数量也很可观。中国古代道士、女冠人数一直不及僧尼，据《新唐书》和唐、宋"会要"以及《大清会典事例》提供的数据，唐代道士、女冠数仅为僧道总数的 1.4%，宋代占 4.2%－7.6%，清代占 15.2%，唐开元二十四年有女冠 988 人，宋天禧二年有女冠 89 人，三年后，增加至 731人，之后始终维持在 500－700 人的规模。当然以上都是登记在册的尼姑、道姑数据，现实社会中的数量应该更大。这里还不包括卦姑，即从事占卜和师娘/婆、尸娘、看水碗娘等通灵职业的女性。

"六婆"在较早的材料如元初赵素的《为政九要》中指"媒婆、牙婆、钳(虔)婆、药(医)婆、师婆、稳婆"，明代又有"奶婆"(奶妈)、"卖婆"等。媒婆是中国古代社会从事婚姻中介和中保的妇女。媒人这一职业起源很早，《诗经》中已有"娶妻如何，匪媒不得"的句子，唐代"户婚"律中明确规定"为婚之法，必有行媒"，这决定了中国古代媒人职业的必要性和合法性，也保证了这一职业的从业规模。媒人分官媒、私媒，西周已设媒氏之官，元代官媒由乡社推荐，著籍于官，当然是要从政府领薪水的。不过清代徐珂说"官媒为妇人之充官役者"，认为官媒是女性服役的一种方式，或许是两者兼而有之吧。私媒，周代以后出现在民间，有学者根据小说记事，推测宋元人口集中于都市，增加了婚姻中介的必要性和可能性，形成了媒人的专业化和营利化。如果按"礼耦，故媒妁必耦"的惯例，仅以婚礼场面而言，一场婚礼至少有两个媒人的话，中国古代媒人数和出勤率是非常可观的。牙婆是女中介。吴自牧在《梦粱录》中说，官宦或者豪富人家如果要买妾，雇用或买歌童舞女、厨娘、针线、粗细婢妮,都需要找官私牙嫂,请她们找到合适的人选。这就好比我们现在人才市场的中介,只是这里的受雇者主要是妇女。牙婆当然也从事南北杂货、金珠首饰等的中介服务。虔(钳)婆是开设青楼、专门为色情交易提供中介的妇女。医婆是从事医疗诊治工作和卖药的妇女。稳婆,又称坐婆、产婆,即现在的助产士,她们还是中国古代受官方委托对女性受害者进行尸检的法医。中国古代有关女医的记载出现较早,如《汉书·外戚传》记载的女医淳于衍,本是大将军霍光夫人喜爱的女医,也常去皇宫为怀孕、妊娠的许皇后看病。"奶婆",即奶妈,为别人家新生儿提供母乳服务。综上所述,古代奶婆只能由女性从业;媒人有男有女;虽然也有男医生为人接生,但仍以女医和稳婆为主,所以在古代社会的媒人和接生两大职场中以女性居多。商业贸易,人才市场,开设青楼,医疗诊治、卖药是以男性从业人员为主的,但如果服务对象是女性的话,牙婆、虔婆、医(药)婆就会发挥极大的作用。如此说来,三姑六婆的职业历史悠久,人数众多,合理合法,意义重大。

在人生的每一个阶段,女性都需要向一些特定的神祇和经卷寻求指点与慰藉。在女性生病,或者在九死一生的生育关头,她们需要医婆、稳婆;在日常生活中,她们不可避免地要与卖婆、牙婆接触。但中国古代士人更希望女性通过看佛经、念佛号来获得宗教指点和慰藉。明代汪康谣在《赠恭人亡室吴氏状》中赞美吴氏:"言不出阃,足不逾阈……因遇良日则闭户念弥陀数千声,至于浮屠、梵刹复绝足不履行,或诸师尼及优婆夷(在家信佛的女子)有求谒者,辄摈不与通。"丈夫不反对妻子寻求宗教慰藉,但赞成妻子足不出户、不与尼姑道婆接触的独自念经的方式。男性将"三姑六婆"看作是冲击家庭和良家妇女的洪水猛兽。陶宗仪说:"人家有一(三姑六婆中的一个或一种)于此而不致奸盗者,几希矣;若能谨而远之,如避蛇蝎,庶乎净宅之法。""奸"是纯洁的居家妇女被引诱而精神或身体出轨,"盗"就三姑六婆对金钱的攫取和妇女的家庭钱财的流失而言。所以,三姑六婆对接的是中国古代广大妇女不向家中男性开放,也是家中男性无法完全熟悉、理解、掌控的物质和精神世界,这是中国古代士人尤其感到忧虑之处。这里主要从经济层面加以说明。

《金瓶梅》作者批评女尼:"六根未净,本性欠明;戒行全无,廉耻已丧。假以慈悲为主,一味利欲是贪。"明黄标在《禁止六婆》中说"六婆所欲者,钱财耳"。撇开对女尼的道德批评,我们可以提出两个简单的问题:为什么三姑六婆可以获利? 她们应不应该获利? 其实《金瓶梅》作者已经提供了答案,他在"以慈悲为主"的宗教关怀、宗教服务和利益之间建立了关系。中国古代僧尼中,不少人因为苦修而获得物质奖赏。如释宝唱的《比丘尼传》中说北魏司州西寺智贤尼,"佛法精进,菜斋苦节,门徒百余人",前秦君主苻坚"闻风敬重,为制织绣袈裟,三岁方成,价值千万"。一方面,这件价值千万的袈裟是智贤尼宗教虔诚的物质价值呈现,它可能一直珍藏在西寺中,成为西寺财富的一部分;但另一方面,宗教苦修本身是对物质索取和物质享受的断然否定,所以这一物质奖赏对于宗教实践个体来说似乎是完全没有意义的。在中国古代有关虔诚信众的书写中,慷慨捐赠往往是不可或缺的一部分,如东晋京师建康的第一座尼寺,是司空何充以别宅为南渡的康明感尼所立的建福寺。而尼寺是佛教经济中的重要部分。其实,宗教发展从来离不开政府和信众的物质支持,特别是明中叶以后,寺田受到裁减,僧尼更要自寻财路。许多道士以符箓法术维生,尼姑则利用宣讲经卷、吟唱佛曲收取报酬来维持修行生活,但古代书写尼姑、道姑言行时,往往无视她们宗教宣讲、从事宗教仪式活动等方面的付出，无视这些宗教活动的精神、文化贡献，而强化她们从信众中获得的财物，因而将尼姑、道姑说成强盗和骗子。

同样，"六婆"一方面在社会生活中很受欢迎，一方面被文人塑造成骗子，如李东阳在《记女医》中深刻地显示了女医的多种处境和待遇。他说京师有一位专治妇女、儿童病症的女医，这位女医其实不识字，不会号脉，不认得药，更不会制药，她所有的行医资本就是从太医那儿买来医治妇女、儿童的成药，勉强记住丸药、散剂的名称，然后大胆地带着这些药去给妇女儿童治病。记事大力渲染广大妇女对这位女医的信任和慷慨，她们都爱找这位女医治病。如果病人运气够好没被治得更坏，她们就慷慨地支付医药费；如果病人运气差，病越治越坏，她们就归结为命不好。妇女们赞美这位女医医术精湛，一传十、十传百，亲戚、邻居、乡里都慕名而来，即使是有知识的人家也请这位女医治病，有的病人请到了真正的名医为家人治病而病情不见起色时，他们就后悔当初没有请这位女医。李东阳将这位女医写成大骗子，然而李东阳如何知道女医的底细呢？一位庸医真的能骗过所有的人吗？妇女真的那么好骗吗？或者这只是李东阳书写的故事，但显示出士人对女医的不信任。这篇文章透露出社会生活的面貌，在妇女、儿童生病时，家中妇女更有权决定请什么样的医生，她们优先选择女医，在付给女医报酬时"捐谷帛金珠予之不少吝"。在批判了女医之后，李东阳又作《记女巫》，批评妇女在女医不能治后，开始求助于女巫。吕坤也说："巫师、师婆等众，专治妇人小儿，毫发不知，极蒙信任。"（《实政录》卷六《风宪约》）男性对师婆的完全不信任与妇人的信任形成鲜明的对比。

给予"三姑"的捐赠和支付"六婆"的费用，因为宗教、世俗情感的作用不免过于失去常度。比如《喻世明言》中《蒋兴哥重会珍珠衫》写陈商在对三巧儿一见钟情后，"一片精魂早被妇人眼光儿摄了去了"，所以他找到以前与他做过交易的家住襄阳大市街东巷的卖珠子的薛婆，一下子拿出 100 两银子和 10 两金子，央求薛婆撮合自己与三巧儿。《金瓶梅》第三十回写官哥儿出生后，西门庆十分高兴，款待稳婆蔡老娘酒饭，又给了她五两银子，承诺洗三朝来，再给她一匹缎子。如果依据明万历时银价，五两银子可以购买两亩半地，相当于六品官两个半月的官俸；以万历年间米价计算，可以购米七石有余。西门庆这次的出手大方，被蔡老娘视为西门庆府之妾接生的惯例。西门庆死后，吴月娘产子，给了蔡老娘三两银子，蔡老娘嫌少，说这个孩子还是正房大娘所生，应该比上次付费更多才对。当然，三姑六婆一定是根据顾客的经济实力来定价的。三姑六婆因处理闺中不想为外人所知的事情，其中存在勒索的可能性。明末清初褚人获说药婆"今捉牙虫、卖安胎、堕胎药之类"，如果涉及堕胎药，不管是未婚先孕，还是妇女不愿继续妊娠，都需要保守秘密，妇女必须为此支付保密费，医婆向顾客漫天要价的可能性变得更大。即便是当今社会，保密费也依然存在，并受到法律保护，可见这一部分费用索取也并非完全不合理。

综上所述，中国古代有数量可观的非常活跃的职业妇女，但中国古代男性书写这些职业妇女时，往往忽视或轻视她们提供的服务，贬低她们的劳动和劳动价值，夸大她们的获得，将她们的获得方式定性为骗取和掠夺。如果抛开古代士人的焦虑，平心静气地观察，我们看到的是忙碌的职业妇女，她们也是闺阁妇女与社会沟通的桥梁。

青楼歌妓的经济生活

司马迁在《史记·货殖列传》中说，由穷致富的途径，务农不如做工，做工不如经商，所谓"刺绣文不如倚市门"。这里的"刺绣文"就是我们上文所谈的织女、织妇的工作，"倚市门"即包括上文所谈的"三婆六姑"的工作。士农工商是职业分工，对于社会都是不可或缺的，不过司马迁还是从从业者个人收益的角度将两者作了对比。后来"倚市门"的意思又有所扩充，渐有妓女倚门卖笑之意，这又将妓女纳入经济收益的对比之中，比如唐代于濆在《苦辛吟》诗中写道："窗下抛梭女，手织身无衣。我愿燕赵姝，化为嫫母姿。一笑不值钱，自然家国肥。"织女辛勤劳作，可是收益甚少，而燕赵姝一笑值千金，两类职业的个人收益差别太大了。诗人又将织女、妓女放在国家经济（"家国肥"）的框架中比较，认为织女为社会增加财富，妓女消耗社会财富。不过，妓女消耗的是社会中个人的财富，因为她们，有一部分个人财富进入消费市场，国家可以对此征较高的税，又可增加国家财富。而站在妓女角度思考，中国古代妓女来源于受惩罚的罪犯、特定户籍者、贫穷的无以谋生的妇女等等，她们有许多不可为外人道、更不可为外人理解的痛苦。

有文字记载的中国古代青楼出现在管仲相齐桓公时的齐国，当时叫女闾。《战国策》"东周"引周文君语说"齐桓公宫中女市女闾七百"。当时国人非议齐桓公的做法，管仲就造"三归之台"来为齐桓公掩饰。周文君引这个事例说明一个国家，大臣受到赞美，并不是这个国家的美事，大臣能为帝王分谤,才是应该提倡的,他赞赏管仲能为君主分谤。宋代苏轼也曾谈论此事,认为管仲为君主分谤的做法显示出他爱他的君主,说明他是位仁人,但管仲的做法并不高明,因为如果他真正爱他的君主,就应该谏止君主的不当做法,取消女闾。有人问苏轼:如果管仲谏,齐桓公不听呢?苏轼说:那管仲就离开齐桓公好了。从现有的材料看,在明以前,一直是在臣应该如何分担社会对君主的指责的层面上对"女闾"展开讨论的,讨论者都有一个潜在的观点,就是齐桓公设立女闾是有伤风化的,是不道德的。自明代中叶开始,一些学者开始引书谈到齐国为什么要开设女闾。杨慎在《升庵集》卷七十六引《齐记》说:"齐有女闾七百,征其夜合之资以充国用。"此语指出齐国开设女闾的经济目的,后来谢肇淛、徐树丕也都持这一观点。

撇开官妓、营妓制度的道德性问题不谈,中国古代政府自有它经济上的务实之处。谢肇淛在《五杂俎》中说:"今时娼妓布满天下,其大都会之地,动以千百计,其他穷州僻邑,在在有之,终日倚门献笑、卖淫为活,生计至此,亦可怜矣。而京师教坊司收其税,谓之脂粉钱。隶郡县者,则为乐户,听使令而已。"我们至少可以从脂粉钱、花捐中看出青楼对于国家财政的支持。

唐宋时,酒成为国家专卖,榷酒制度成为朝廷"穷尽取材之路,莫过于兹"的一项重要的经济财政制度。据《宋史·食货志》统计,仁宗皇祐年间,酒榷税每年达到 1498.6196 万缗。可这些酒是如何卖出去的呢?据当时记载,全靠妓女的推销。《梦粱录》指出,在中央和地方政府的"诸库,皆有官名角妓,就库设法卖酒",很多时候,"此郡风流才子欲买一笑",就径直去各库内"点花牌,惟意所择"。国家除自己生产、销售酒外,也允许私商小贩或者是特许的酒户从官家取酒分销,还提供酒曲让私人酿酒销售，也就是所谓的"买扑制"和"榷曲制"，这样，无数的私妓也加入到推销酒的行列之中。

古代妓女相对织妇应该收益更丰，但因为社会观念的影响，妓女对此反而心生愧疚。如《青泥莲花记》中写道，绝大部分娼妓都认同"妾本娼流，本非良族"的社会阶层划分和社会道德判断，书中所有被正面肯定的娼妓都对自己作为娼妓充满羞愧。如王幼玉将自己的谋生方式与士农工商的谋生方式对比而觉得羞愧无比："今之或工或商，或农或贾，或道自适，欲以自养，惟我傅涂脂傅粉，巧言令色侍人，至以取其财，我思之愧赧无限。"（《王幼玉记》）长安妓也在与良家妇女的对比中产生罪恶感："妇人以容德事人，职主中馈。姝不幸幼出贱流，鬻身宫邸，委质妾御，不获托久要于良家，罪实滋大。"（《长安李姝》）所以士人比较热心书写挟资归良的妓女。如冯梦龙在《警世通言》中怒沉百宝箱的杜十娘。沈德符在《万历野获编》"侠妓"条中追忆了一位与自己的生命有过交集的妓女，这位妓女在京师西郊十余里有大宅，有大笔的积蓄，因所托非人，"尽散其资装以及田园之属几万金"，最后伤心投缳而死。但不少妓女有很高的文化艺术水平，因阅人多多，也练就了很好的识人能力，她们会利用自己较丰厚的收入资助怀才未遇的士人或投入社会慈善事业当中。比如《鹤林玉露》中记载，宋代抗金名将韩世忠最初不过是个无名小卒，梁红玉是京口营妓，她见到韩世忠后，预见这位小卒将来一定会大有作为，于是供给他食物，资助他金帛，最终使韩世忠成为一代名将。又如刘斧的《青琐高议》引《甘棠遗事后序》说，北宋熙宁年间一位诗娼温琬，她"轻财好施，士有逆旅窘困者，辄召赠予，或辞不受，必婉致，使有所济，则喜行于色"。可见，妓女在用她们的收入回馈社会。

原典选读

哲宗即位,宣仁太后临朝,首起司马光为门下侍郎,委之以政。诏天下臣民皆得以封事言民间疾苦。光抗疏曰:"四民之中,惟农最苦,寒耕热耘,沾体涂足,戴日而作,戴星而息;蚕妇治茧、绩麻、纺纬,缕缕而积之,寸寸而成之,其勤极矣。而又水旱、霜雹、蝗蜮间为之灾,幸而收成,则公私之债,交争互夺。谷未离场,帛未下机,已非己有,所食者糠籺而不足,所衣者绨褐而不完。直以世服田亩,不知舍此之外有何可生之路耳。而况聚敛之臣,于租税之外,巧取百端,以邀功赏。青苗则强散重敛,给陈纳新;免役则刻剥穷民,收养浮食;保甲则劳非业之作;保马则困于无益之费,可不念哉!"(元脱脱等撰《宋史·食货志》)

点检所官酒库,各库有两监官,下有专吏酒匠掌其役。但新、煮两界,系本府关给工本,下库酝造,所解利息,听充本府赡军、激赏公支,则朝家无一毫取解耳。曰东库,清、煮俱为一,在崇新门里,有酒楼,名之曰"太和",废之久矣。曰西库,又名金文正库:清界库,在三桥南惠迁桥侧;煮界库,在涌金门外,有酒楼,扁之曰"西楼"。南库,元名升阳宫:煮界库,在社坛南;新界库,在清河坊南,酒楼扁之曰"和乐"。北库,煮界库,在祥符桥东;清界库,在鹅鸭桥东,酒楼扁之曰"春风"。曰中库,在众乐坊北,造清界,有酒楼,扁之曰"中和";煮界库,在井亭桥北。曰南上库,呼为银瓮子库:煮酒库,在东青门外;造清界库,在睦亲坊北,酒楼扁之曰"和丰"。南外库:造清界库,在便门外清水闸;造煮界库,在嘉会门外,名之曰雪醅库。北外库:造煮界库,在江涨桥南;清界库,在左家桥北,酒楼扁之曰"春融"。西溪库:清、煮两界俱在九里松大路,乃一门分两库耳。天宗库:造清界,在天宗水门里;煮界库,在余杭门外上闸东。赤山库:造清界库,在赤山教场前;煮界库,在左军教场侧。崇新库,清、煮两界俱在崇新门外。徐村库,在六和塔南徐村市中。其诸库皆有官名角妓,就库设法卖酒,此郡风流才子,欲买一笑,则径往库内点花牌,惟意所择,但恐酒家人隐庇推托,须是亲识妓面,及以微利啖之可也。又有九小库,如安溪、余杭、奉口、解城、盐官、长安、许村、临平、汤镇。更有碧香诸库。如钱塘门外上船亭南名为钱塘正库,有楼,扁曰"先得"。钱塘县前名钱塘前库。鹅鸭桥北曰北正库,正在醋坊巷口也。西桥东曰煮碧香库。礼部贡院对河桥西曰藩封栈库。外有藩封正库,在常州无锡县。并隶临安府点检酒所提领耳。(宋吴自牧《梦梁录》卷十"点检所酒库")

安抚司所管一道酒库,如余杭县闲林酒库,石濑步东、西二酒库,临安县青山、桃源二酒库,外有安吉州德清县市,名为德清正酒库,五林□累曰德清东、西二酒库,安吉州归安县曰琏市东、西二酒库,嘉兴府华亭县曰上海酒库。(吴自牧《梦梁录》卷十"安抚司酒库")

宋杨炎正《钱塘迎酒诗》并序 闰八月二十有六日,官妓迎酒,联镳穿市,观者如堵,作迎酒歌以发同观诸公一笑云。

钱塘妓女颜如玉,一一红妆新结束。问渠结束何所为,八月皇都酒新熟。浮蛆香,十二库中谁最强?临安大尹索酒尝,旧有故事须迎将。翠翘金凤乌云髻,雕鞍玉勒三千骑。金鞭争道万人看,香尘冉冉沙河市。琉璃杯深琥珀浓,新番曲调声摩空。使君一笑赐金帛,今年酒赛真珠红。画楼突兀临官道,处处绣旗夸酒好。五陵年少事豪华,一斗十千谁复校。黄金垆下漫徜徉,何曾见此大堤娼。惜无颜公三十万,枉醉金钗十二行。(宋潜说友《咸淳临安志》卷九十七《纪遗九》)

　　燕云只有四种人多:奄竖多于缙绅,妇女多于男子,娼妓多于良家,乞丐多于商贾。至于市陌之风尘,轮蹄之纷糅,奸盗之丛错,驵侩之出没,盖尽人间不美之俗、不良之辈而京师皆有之,殆古之所谓陆海者。昔人谓不如是不足为京都,其言亦近之矣。(明谢肇淛《五杂俎》卷三)

古代妇女的法律生活

《大戴礼记·礼察》说:"礼者禁将然之前,而法者禁于已然之后。"这句话可以这样理解:礼,提供适宜的规范以防止不良事件发生;法,是不良事件发生后提供惩处以防止不良事件的再度发生。可见,礼提供了比较高的规范,达到这一规范则一定不会犯法;法律是行事的底线,所以礼和法本身不相同,两者间有很大的道德差距,而且它们产生作用的时间也不相同,但它们赖以建构的内在精神和原则、它们的目标却是一致的。上文已述,中国古代的礼首先承认人与人之间有尊卑、贵贱、长幼、男女之别,然后通过各守其礼、各复其礼而成仁,从而达到道德、文化和精神上的平等,中国古代法律也在很大意义上体现了这一原则。礼为法保持道德方向,法为礼的实现提供强有力的保障,两者以各司其事的方式运作,保持社会的稳定与和谐。

烈女为父报仇与古代礼法共生

关于中国古代礼法共生的记载出现得很早。《吕氏春秋·离俗览·高义》载,执法官石渚的父亲犯法后,石渚作为儿子,不忍心对父亲执法,但作为执法官,又必须依法惩处罪犯,于是他决定代父亲受刑惩。子为父隐,是孝,属礼的范畴,而作为执法官,要惩罚犯罪,属于法律的层面,石渚想用既合礼又合法的方式对待这一问题,这在以家庭为利益单位的古代似乎是可以选择的第三条道路。

中国古代妇女在礼、法实践中是非常活跃的,无数守节的贞女烈妇和为父报仇的女儿是最典型的代表,古代史料也以妇女演绎古代社会礼法共生的理想。《后汉书·列女传·赵娥传》为我们提供了一则意涵丰富的礼法共生的典型案例。传记说东汉酒泉禄福县有位叫赵娥的妇女,她的父亲被同县人杀害,赵娥有兄弟三人,但都因病去世了,当时仇家很高兴,认为没有人能够找他们复仇了。但赵娥暗下决心,一定要报仇,她随身带着凶器,常常乘车躲在车幔后跟踪等候仇人,可惜十余年都没能找到机会,直到有一天,赵娥在都亭中恰遇杀父仇人,并成功刺杀了他。杀人后,她直奔县衙自首,对县官说,我已为父报仇,现在请求国法对我实施死刑吧。当时的禄福县县令尹嘉佩服赵娥的义举,提出要辞官与赵娥一起潜逃。赵娥理直气壮地告诉县官:"我为父报仇,然后接受法律制裁,这是我作为女儿和臣民的本分,你审理我的案子、判我的罪是你作为县令的本分。"这段记事中,赵娥视为父复仇是子女的当然义务,是孝,是礼。赵娥杀人后,主动自首,宣称"父仇已报",请求"公法""刑戮"自己,表明她也视遵纪守法为帝国子民的当然义务。禄福县县令知道自己应当"结罪理狱"(法),可是他太尊重赵娥的所作所为(礼),为解决困境,他提出弃官(放弃官员身份、持社会习俗认同的立场)与赵娥一起逃亡。东汉对于一些犯法者,在情感上表示理解,在礼的层面加以肯定和尊重,在道德上加以表彰,在法律上予以惩处,个人、各级政府以及法律、礼、社会舆论等都以各行其是的方式运作,维持社会的公平和秩序。

这一礼法共存的思路,初唐陈子昂曾加以认同,并不觉得彼此之间有不可调和的矛盾,但自中唐始,礼法共生的思维方式受到某种程度的质疑,如柳宗元《驳复仇议》、韩愈《复仇议》都批评礼对法律的干扰。而现实中,礼法共存的实践一直存在。如俞樾《荟蕞编》记载,清代福建漳浦蔡氏在道路上杀死了杀害其丈夫的仇人,当时仇人随从众多,蔡氏大声对他们说,这个人杀死了我的丈夫,我是为夫报仇,雪恨之后,我必到衙门自首,接受死刑。之后她果然偕幼子"直赴巡

汉墓壁画,《七女为父报仇图》

按御史台门请死"。当时,一位霍姓御史要放蔡氏走,蔡氏说,千万不要因为我而乱了国法! 1935 年,桐城女施剑翘在天津居士林刺杀军阀孙传芳,从施剑翘在杀人现场的表现,之后传媒和社会舆论的干预,地方、中央的判决等,都可见礼法共存思想依然在中国社会生活中发挥作用。

古代法律中的妇女地位

中国古代妇女首先被镶嵌在人际关系网络中,然后确立其法律地位,所以"妻与夫齐体"和"妻以夫为天"这看似相反的两种妇女地位的表述却能以中国思想的特有逻辑而并存不悖。"妻与夫齐体"是就第三者对待夫妇二人的关系尺度而言,第三者必须对这对夫妇给予同样的尊重;"妻以夫为天"是就夫妇二人内部关系而言,妻子在理论上有服从丈夫的义务。虽然在理论上夫为妻纲,但在社会实践中,妻子服从丈夫是美德,如果丈夫要求或者强迫妻子服从自己,则丈夫立刻处于无德状态,也就失去了让妻子服从的资格。因此,我们也必须用变动不居的视角来看待中国古代妇女的法律地位。

中国古代妇女的法律地位从来就不是一致和平等的。首先,社会中的贵贱、良贱妇女的法律地位不同。古代社会有太皇太后、皇太后、皇后、太子妃等特权阶层,她们不但自身享有法律特权,太皇太后、太后的曾、高、祖、父乃至同辈的四五代亲属,皇后的祖、父、同辈的三代亲属,皇太子妃的父和同辈的两代亲属都享有法律特权,法律上称为"议亲"("八议"之一)。也就是说,如果这些人犯死罪的话,要先奏明皇帝,并经过朝廷大臣评议作减免刑罚。此外,官员家庭的妇女犯罪,相对于平民妇女来说,会获得一定程度的减刑,同时有通过经济手段减轻刑惩的特权。《唐律疏议》有这样的法律条款:五品以上官员的妾,如果不是犯十恶不赦之罪,流罪以下的罪,听以赎论;七品以上的官员,他们的祖母、母亲、姊妹、妻子如果犯流罪以下的罪，可以减罪一等；八品、九品官的女性亲属犯流罪以下，可以用铜赎罪。一般平民妇女没有社会身份优势，也就不能享受法律优待。古代社会还有良贱之分，特别是中古时期，有明确的良贱制度，贱民犯罪适用更严厉的刑惩。如唐律规定，诸部曲（依附于私家，包括部曲之女，称客女）、官户（附籍于官府）殴伤良人，罪加凡人一等；如是奴婢，又加一等。可见，在贱民中，又有部曲、官户和奴婢的等级划分，其法律地位也是不同的。

其次，家庭中作为男子配偶的女性之间的法律地位不同。在中国古代法律中，男子的配偶按地位从高到低排列有妻、媵、妾、客女、婢等类型，她们的家庭、社会、法律地位都不同，各自的身份也是不可以改变的，如果被人为改变，就触犯了国家法律。比如唐代的户婚律规定，降低妻子的身份为妾，和以婢女为妻子所犯的罪一样重，都要徒两年。因为妾、客女的社会身份和家庭中的身份相对高于婢女，所以，以妾和客女为妻，或者以婢女为妾，刑惩稍微减轻，徒一年半。除刑罚外，男子还要恢复原来的家庭秩序，妻还是妻，妾还是妾，婢女还是婢女。因为男子的配偶间地位不同，所以各自的法律地位也不同。比如唐律规定，如果妻子殴伤妾，比打伤一般人减两等处罚，而且这条法律发挥作用的前提是妾自己告发，否则就不能立案。可以想象，在社会生活中，应该有许多妾是没有机会告发主母的，但如果出了人命，妻子打死了妾，事情的性质已超出了家庭教训的范围，别人就可以报案，并且与打死一般人处罚相同；如妻子过失杀妾，则无罪。

再次，家庭中，夫妻的法律地位不同。虽然相对于媵、妾、客女、婢女而言，妻子的法律地位与丈夫同等，比如夫殴伤妾和妻殴伤妾的处罚是一样的，这体现了"妻与夫齐体"的原则，但就妻与夫两者关系而言，现在所见的成文法显示，妻子与丈夫的法律地位是不平等的。比如唐律规定,妻子殴打或预谋杀夫是十恶不赦的大罪,妻子殴打丈夫,徒一年;将丈夫打成重伤,比一般的斗伤罪加三等处罚;打死丈夫,处斩。但丈夫打伤妻子,却比打伤一般人减两等处理;若丈夫打死妻子,处绞刑。虽然丈夫打死妻子或者妻子打死丈夫,同是死刑,但在古人看来,绞刑不会像斩首那样使死者身首分离,所以对于丈夫还是执行了相对较轻的死刑。又比如,一对夫妻各自与他人通奸,法律对男子的处罚也轻于对妇女的惩罚。唐律规定,凡通奸的,处一年半徒刑,但有丈夫的妇女,会加重处罚,徒两年,比男子罪加一等。

综上所述,决定中国古代妇女法律地位的首先是贵贱和良贱的社会等级,然后才是男女性别,所以,在中国古代不是所有的女性的法律地位都低于男性,而是要具体分析。

相当长时间以来,有关女性继承权,特别是宋代在室女遗产继承权的讨论相当活跃。一种意见认为,宋代并没有相关的法律条文,但因为古代也有对遗嘱的尊重,所以一些妇女还是可以得到遗产。如《宋史·杜皋传》载,杜皋在六安县做县令时,一位县民很宠爱自己的妾,所以他死前立下遗嘱,家产妾与二子均分。父亲死后,二子起诉说法律规定庶母无权分得财产,杜皋以户主遗嘱断案,他引用"子从父令""违父教令"等儒家经典为依据,认为二子不得违背父亲遗嘱。不过他说,妾守节则可以分得家产,如果改嫁或去世,家产归二子。杜皋的判决受到上司淮南西路安抚使李衍的赞赏。

因女性而变的古代法律

在中国历史上，有一些女性以自己的努力最终促成一些不合理的法律条款的修订和废除。《史记·文帝本纪》、《仓公列传》以及《汉书·刑法志》都有记载，汉文帝十三年（前167），齐太仓令淳于意犯罪，被押赴长安，他的小女儿缇萦同行。缇萦上书汉文帝，指出法律是为了让犯罪者能改过自新的，如果父亲被杀，也就失去了改过自新的机会，所以她请求法律剥夺她的自由，判她没为官婢为父亲赎身，让父亲有痛改前非的机会。缇萦的上书使文帝思考刑惩的目的以及国家有严酷的肉刑为什么不能阻止犯罪等问题，文帝于是下令废除残害人身体的不人道的肉刑，以剥夺人身自由和降低社会身份等方式来惩罚犯罪者，给予犯罪者赎罪的机会。缇萦对刑惩终极目的的讨论，用孝心和勇敢促使西汉废除了肉刑，其作为令历代文人感佩。班固的《咏史》诗赞叹道："百男何愦愦，不如一缇萦。"孔融说："家之将亡，缇萦跋涉。"柳宗元说："肉刑不施，汉美淳于。"（《饶娥碑》）

《晋书·刑法志》中也记载了一位促成不合理法律条款废除的女性。魏嘉平六年（254），司马师废魏帝曹芳，曹魏名将毌丘俭举兵讨伐，兵败被杀，因大逆罪，诛灭三族。当时的魏法规定，犯大逆罪者要诛及家中已出嫁的女儿、孙女。毌丘俭被杀后，他的媳妇荀氏本应该连坐处死，但她的族兄荀颛与司马师是姻亲，于是通过司马师以新立的少帝的名义赦免了荀氏。荀氏所生之女毌丘芝已经出嫁，依照法律她也要连坐处死，毌丘芝当时有孕在身，被关在牢中，母亲荀氏如何能坐视不管？荀氏上书司隶校尉何曾，像当年的缇萦一样，请求没为官婢为女儿赎身。她的上书促使当时的法律界人士思考出嫁女连坐的法律条款是否合理。主簿程咸上书提出：依照现在的法律，出嫁女，本家父母犯罪会被追究，夫家人犯罪也要被追究，即一人之身受到本家、夫家两方的株连。而同样的情况下，男子不会受到妻族犯罪的株连，所以现在的法律对已婚女子是很不公平的，已婚女只应受到一方的株连。那么是依从夫家还是本家？程咸依礼制进行分析，他说，没有出嫁的在室女为父母服三年之丧，出嫁女为父母服一年之丧，但为公婆服三年之丧，所以她们应该归于夫家受刑惩，即"既醮之妇，从夫家之罚"。毌丘芝最终被无罪释放。这件事后，司马师下令修改法律。晋武帝泰始三年（267），新律完成，第二年颁布天下，新律废除了"谋反，适养母出；女嫁，皆不复还坐父母弃市"。由已嫁女进而考虑到出母，因为出母已与夫家断绝关联，她不管是回归母家还是改适，都已在新的家庭网络中产生了新的法律责任，这一点与出嫁女是相同的。也就是说，由于荀氏的介入，引起了古代法律中有关女性法律条款的改变，使法律条款变得更为合理。

性别与古代法律观念及条款的变化

　　中国古代法律和法律实践中当然会考虑到性别,不过早期主要基于性别的自然属性方面。如自汉代起,会减轻或延迟对怀孕妇女的刑惩,对犯罪妇女强迫劳动会考虑妇女的体力,但在漫长的社会发展中,法律观念和实践中社会性别的影响变得更为突出。比如,东汉平帝时临朝的王太皇太后曾下诏有司"复贞妇,归女徒",目的是"防邪辟,全贞信"。比如南宋宋慈的一部法医检验专著《洗冤集录》指出,对未婚女尸检,不管是否需要,都会检查死者是否是处女。中国古代社会称纠缠不清地以打官司的方式解决纠纷的人为健讼者,因为打官司就要对簿公堂,女性就要抛头露面,所以对妇女健讼者尤为厌恶。《夷坚志》乙志卷九中有一篇叫"拦街虎",记录了一则北宋赵抃与女健讼者的故事。赵抃在北宋被誉为"铁面御史",其正直无私与包拯齐名,小说作者为强调记事的真实性,特意注明故事来源于赵抃的孙子赵恬。故事说东州某县有一位妇女特别无赖,无赖的重要表现就是喜欢打官司,据说因此她成了县中大患,大家都叫她"拦街虎"。赵抃到当地做县令,这个妇女又来告状,结果她被审问得理屈词穷,赵抃判她诬告,处以杖罚,结果还没打完,妇女就毙命了。然后,这位妇女立刻化成厉鬼,赵抃行走坐卧甚至吃饭时,她都跟在旁边。后来赵县令罢官离开该县,途经泰山岱岳庙焚香礼拜,该妇女也一直在旁边,赵抃觉得忍无可忍,于是请求岱岳大神主持他与此妇女之间的"官司"。赵抃说,我和这位妇女之间,如果错在我,请大神处罚我;如果我没错,请让这位妇女离开我,不要这样老缠着我。结果这位妇女立刻就消失了。虽然这是个志怪故事,但夸张地表现了健讼者的诉讼态度,从积极意义上讲,是锲而不舍;从消极意义上讲,是死缠烂打。作者通过故事叙述者、故事中的当事人和邑人集体对妇女的健讼行为表示了极大的否定,即使其因健讼而被杖毙,法官、时人甚至岱岳神都未表现出任何同情,也从未有人考虑法官是否量刑过重或行刑者是否下手太狠。

有些不得不打官司的妇女也认同妇女抛头露面地去打官司将为人所不齿的观念。顾森的《侠女报仇》记载了静海县风俗,"凡室女出官,人则不齿,夫家即退婚",并叙述了乾隆年间的一件事。当时,静海县一位已订婚的薛姓女儿,因母亲被杀不得不出官鸣冤,在准备打官司之前,她主动来到未婚夫家退婚,请夫家另选淑女。由于古代法官皆为男性,他们对女性受害者会格外同情,对女性犯罪者格外厌恶。总之,因性别原因对女性涉案者总不能有客观的看法和适中的判断。这种情况在中国古代已引起了关注,有士人对审理女性作为原告和被告的案件的官员提出了一些特别忠告。如明代方弘静指出,对待涉及女性的案件,法官要特别慎重;对于妇人来告状的,一定要冷静,"未可轻听";对于被人指控犯罪的妇人,也不能因为她是女人就特别愤怒,而轻加拘捕。

除了观念性影响外,清道光二年(1822)的一份诏书对妇人犯罪收赎、如何实施杖刑、实发为奴的情形都作出了具有性别倾向的规定。祝庆祺的《刑案汇览》卷三"工乐户及妇人犯罪"条,记载了道光皇帝的这一通诏书。诏书指出:妇女犯罪,定例军流以下都可以以金钱、物品和劳役替代刑惩,只有犯了奸、盗、不孝罪,会对妇女行杖。决杖之中,又分等差,只有犯奸罪会剥掉妇女衣服施刑,犯盗和不孝罪者穿着单衣受刑。原因是,名节对妇女是最重要的,为了妇女的名节,处罚时就要顾全她们的廉耻。而犯奸罪的妇女被认为已是廉耻尽失,名节全无,所以不必顾惜,尽管剥去衣服行杖。之前,谋反、叛逆与奸党乱政者妻妾子女连坐为奴,道光二年诏书还规定:因奸致使纵容的父母自尽、因与别人父子通奸酿成乱伦重案、因奸抑媳同陷邪淫致令自尽的妇女都实发为奴。新增加的这些条款,表现出对犯奸罪的妇女的特别厌恶,对妇女廉耻和名节有特别的关心。关于"犯罪应军流以上发驻防为奴"一条,诏书解释称,这一法律条款的设立,主要因为妇女犯罪可以收赎,一些妇女可能利用这一条逞凶健讼,因而加重处罚,订立此条。新律特别指出,妇女犯罪没有涉及奸私,如果实发为奴,妇女单身上路,与解役为伍,以及为奴隶时服役主家,都容易遭遇侵害和凌辱。为了避免未犯奸情的妇女受到性侵犯,有损于她们的名节,诏书废除了此条法律。可以说,道光二年诏书中所涉及的法律条款的增减,其立足点都是妇女的名节,这里的名节基本是从性的意义上界定的。所以,修改过的法律对不顾名节犯下奸罪的妇女处罚特别严厉,妇女的贞洁和名节成为修改法律条款的重要原因。

利用法律"离婚"的妇女

　　虽然妻子法律地位不及丈夫,但如果妻子理由充足,又有足够的智慧,女性未必在法律实践中完全处于劣势。这里我用李清照讼而离婚的案例来讨论这一点。

　　李清照和赵明诚是中国古代最志同道合的夫妻之一,他们的金石收藏十分丰富,又有先见之明和足够的运气,在动荡的南北宋之交,即 1127 年 3 月,借奔母丧之机及时将金石收藏从北方转移到了南方。之后,夫妻俩护持着收藏辗转各地。1129 年 3 月,赵明诚病逝于南京。由于两夫妻收藏之丰众所周知,赵明诚去世后,觊觎者之多也就可想而知。不但有凿壁穿窬的小偷,更有有势力者的明抢,李清照的处境十分险恶。她既不愿意依靠赵明诚还健在的兄弟,赵明诚留下的老兵和自己的弟弟也都无力保护她,所以李清照试图通过再婚来寻求庇护。1132 年 5 月,李清照改嫁张汝舟。

　　李清照带着她的收藏品再婚,婚后想必张汝舟欲染指李清照收藏,李清照不允,其夫即报以老拳。在宋代,嫁妆是相当特殊的财产,作为社会惯例,妻子可能对嫁妆更有支配权,但在法律和社会习俗中并不必然视为妻子的私财。另外,殴妻致死是严重犯罪,但殴妻以作训诫却被视为理所当然,所以李清照不是以家庭暴力或掠夺私财对丈夫张汝舟提起诉讼,而是告发张汝舟谎报"举数"入官。

　　根据《宋刑统》的规定,妻子告发丈夫,违反了为亲隐、为尊者讳的原则,其行为本身就是犯罪,即使告发的事成立,妻子也要徒两年。而作为被告的丈夫却可以因此被看作是自首并获得减刑,如果妻子告发的是重罪,可以减一等处罚,徒一年半。这说明,即使是接受法律制裁也是以家庭为计算单位的。只是在夫妻敌对的情况下,显然对妻子不公平。为了能够告倒丈夫,并避免自己的牢狱之灾,李清照显然细致地研究了当时的法律。因为《宋刑统》这一条法规下面有一个补充条款,就是如果丈夫使用暴力"相侵犯",妻子为了自卫提出诉讼,则不会因告发丈夫而受刑惩。《宋刑统》的"诈假官"条又规定,因欺诈而得官,流两千里,宋《建炎以来系年要录》在李清照讼夫"妄增举数入官"下有个小注,说张汝舟十月己酉行遣,被判流放,可见李清照一定是以"相侵犯"为由告丈夫"妄增举数"入官,所以最终张汝舟被流放,李清照告发丈夫成功还免于妻子告丈夫的刑惩。

本来这等小诉讼无论如何不可能写进南宋编年史书《建炎以来系年要录》中,但李清照因为"外援难求,自陈何害,岂期末事,乃得上闻。取自宸衷,付之廷尉"(《金石录后序》)。她将一纸自陈书直接寄给了宋高宗本人,高宗将她的文书交付廷尉处理,李清照告发丈夫因皇帝、廷尉的插手而立刻立案,这无疑大大缩短了自下而上走司法程序的时间,也使她免于地方官的盘诘而失去体面,她还可以更快地脱离张汝舟的魔爪。这无疑是非常有胆识、有魄力的行为。

妻子告发丈夫,表明夫妻已恩断情绝,但还没有达到法律规定的"义绝"的程度。"义绝"必须是丈夫(或妻子)殴打(打骂)妻子(丈夫)的祖父母、父母,杀(杀伤)妻子(丈夫)的外祖父母、伯叔父母、兄弟、姑母、姐妹,或者夫妻双方的祖父母、父母、外祖父母、伯叔父母、兄弟、姑母、姐妹互相杀害,或者是妻子同丈夫五福内的亲戚通奸,或丈夫与岳母有奸情,或者妻子想要害死丈夫。所以,虽然李清照告发丈夫,丈夫被流放,但法律并不必然因此就判李清照夫妻离婚。而李清照告发丈夫就是为了离婚,脱离丈夫魔爪,所以李清照写了《投翰林学士綦崇礼启》为自己的离婚事求助。文中叙述她受骗再嫁、婚后受虐待的事以及丈夫的与他结婚的目的:"彼素抱璧之将往,决欲杀之。"因此张汝舟之前的求婚实际上是为谋夺她的收藏,所以这样的婚姻本身就不能称为婚姻。李清照投书的目的是:"高鹏尺鷃,本异升沈;火鼠冰蚕,难同嗜好。达人共悉,童子皆知。愿赐品题,与加湔洗。"李清照以户婚律中"夫妻不相安谐而合离"的条款提出离婚,从此她"再见江山,依旧一瓶一钵",恢复了单身身份。

就这样,李清照通过法律解除了与第二任丈夫的关系,对方流放边荒,使她免受人身攻击和威胁。从李清照的一系列法律行动来看,她确实是全而且智,智而且勇,面对法律中不利于妻子的条文,既有勇气和胆量提起诉讼,又能以正当的理由赢得诉讼并自我保全,不受刑惩,不失体面,令千年之后的我辈女性佩服。

明代也有一位有胆识的女性曾投书皇帝为自己申诉。嘉靖年间,继母诬告继女李玉英所作两首诗涉及奸情,李玉英身陷囹圄,将被处以极刑。她在狱中投书嘉靖皇帝申诉,最后因皇帝过问,此案得以重新审理,最终李玉英保全了性命。

法官对女性守节者的同情与判决

李清照作为无子嗣的寡妇，拥有丈夫从其父那里继承来的以及夫妇共同收藏的金石，似乎并未受到夫家兄弟或族亲的挑衅，这可能表明赵明诚夫妇已与兄弟分了家独立门户了，而且宋代法律也不强迫寡妇一定要立嗣。《宋刑统》说"无子者听养同宗昭穆相当者"，之后的一条皇帝敕令对这条法规作了进一步的说明："夫亡妻在，从其妻。"也就是说，立继在宋代法律中是权利而不是责任，寡妇有立继的权利，也有不立继的权利。《名公书判清明集》中有 20 个涉及寡妇立继的案例，没有一位法官强迫寡妇立继。明初，强制侄子继嗣的法律颁布，改变了寡妇在宗祧继承中的法定权利。1369年，《大明会典》规定"妇人夫亡无子守志者，合承夫分，须凭族长择昭穆相当之人继嗣"，并对继承人作了明确的规定："先尽同父周亲，次及大功、小功、缌麻，如俱无，方许择立远房及同姓为嗣。"这样，为丈夫立嗣成为寡妇的法律责任，法律规定了选择继嗣的次序，因此寡妇几乎没有自主选择继嗣的余地。不过到了 1500 年，明朝对这条法律有所修正："若继子不得于所后之亲，听其告官别立，其或择立贤能及所亲爱者，若与昭穆伦序不失，不许宗族指以次序告争并官司受理。"这赋予了寡妇告官别立继嗣的法律权利，别立者只要昭穆不失，宗族不得告官争立。

如果分析明清寡妇立嗣的案例，可以发现在法律实践中，法律对寡妇立继权利的压缩却因地方官对寡妇守贞的尊重和同情而有所补偿。有学者研究了 43 宗明末清初的寡妇立继案件,发现所有主审官的判决都认同寡妇的立嗣选择,即使寡妇绕过了昭穆更近的侄子而选择远房侄子。有的法官选择比较折中的方法,比如清代台州司理蒋鸣玉曾审理一案。徐益病死,留下 29 岁的妻子严奴和一个幼女,依照清代法律,严奴要给丈夫徐益立嗣。族众要立徐统,可是徐统已经 33 岁,严奴不同意,她要立一个年幼的,双方打起了官司。法官蒋鸣玉认为,一大一小的两个候选人的昭穆都合适,但考虑到守节者和嗣子的年龄,觉得族里所立的继承人年龄太大,与嗣母相处太不自然了。不过,为了不得罪族人,他采取了折中的方法,将家产四股均分,长幼两人并为继子,既不违族众之议,又不拂严氏之心。他要求两嗣子赡养严奴终身,等严奴去世后,田产一半给徐益和严奴的女儿,一半给两继子。

《折狱龟鉴补》卷一记载了汪辉祖所批的一则案件,可看出地方官对守贞寡妇的同情和尊重,因此给予了寡妇在立嗣方面更多的决定权。1760 年汪辉祖为长洲县令幕僚时接触到一个案子。长洲县有位富家妇女周张氏,19 岁死了丈夫,留下一个遗腹子继郎,周张氏守节抚子。继郎 18 岁那年,周张氏准备八月份娶媳,可儿子却在七月份死了,族人认为继郎尚未成婚,不得立嗣,要周张氏给丈夫立嗣,但周张氏坚持要为儿子继郎立嗣,他们你来我往地共打了 18 年官司都未结案。1754 年时,双方相持不下,当时的县官也不知道如何判决。1760 年 2 月,周张氏的一份诉状送到县令郑毓贤手中,汪辉祖作为县令幕僚为县令彻查此案。周张氏讼词中的一段哀伤酸楚的话打动了汪辉祖。周张氏说,我的儿子死后,我为立继经历的苦楚百倍于我当初 18 年的独自抚孤,为了立嗣事,有好多次我都差点死掉,可是我死不足惜,立继的事没有着落,我就死不瞑目。我现今已是望六之人,来日无多,我不能让我的丈夫和儿子的鬼魂不得安宁。于是汪辉祖顶住各方压力,甚至以辞职向县令施压,判决周张氏胜诉。他的批答是:周张氏遗腹子将要完婚却不幸而死,作为母亲的悲痛一定倍于一般的丧子,如果不为儿子立嗣,儿子的一脉断绝,那么寡妇18年的抚孤心血也都付之流水,所以张氏为儿子立嗣,是近乎人情之举。现有的法律只规定妇人夫亡为夫立嗣,没有规定为子立后,这是法律的不完备之处。他又引述《礼记》"为殇后者,以其服服之"之文,说如果不为殇者立继,哪来"殇后"之说呢? 如果没有后,《礼记》哪会有这段文字呢? 所以我们应该根据礼来补充现行法律的不完备。他说,地方官的判案与其让殇儿绝后而伤慈母之心,不如让殇儿有后又成全忠贞之妇的心愿。汪辉祖对县令说:"为民父母而令节妇抱憾以终,不可。"可以看出,汪辉祖的判决充分考虑了周张氏18年的守贞抚孤,这个18岁早夭的孩子无后,就是对周张氏18年付出的漠视,周张氏18年来与族人的抗争,也是基于这样的理念。因为周氏是大族,有钱有势,加上没有相关法律支持,汪辉祖之前的判决都倾向于族人,但周张氏屡屡上诉,提出自己的人选,十几年执著地走在维护妇女立嗣决定权的道路上,最终获得有利于自己的判决。

妇女的道德水准使法官对案件和现行法律有了新的观察角度。周张氏守贞抚孤使汪辉祖和复查此案的陈宏谋对殇子立后以及清代立嗣的相关法律有了新的思考,他们的判决给予妇女更多的立嗣决定权。虽然清代法律并未因此有所修订,但周张氏努力打赢的官司有可能成为经典案例,为之后类似案件的判决提供参考。

妇女的道德水准不但会在承继等民事案件中影响判决,在刑事案件中也同样如此。明代歙县县令审理了一起妇女自缢案。这位章姓妇女19岁,孩子3岁,她长得很美,但出身低贱,她的丈夫郑某是位轿夫,身份也低贱。章氏自缢后,吕经被指控常常以雇轿为名,直闯内室调戏逼迫章氏。章氏拒绝不得,所以才自杀。吕经则申辩说他与这位妇女有亲密关系已经两年了,而且这位妇女不是良家出身,根本不用逼迫。县令不接受吕经的申辩,他说,章氏虽然社会身份低贱,但不表明她的性情、道德就低贱,她才19岁,儿子才3岁,她竟然决绝到关上门自缢,不管她以前有没有失贞,仅这一举动就表明了她的贞洁,一日贞洁也是贞洁。因此,县令判斩吕经,以安慰章氏"贞魂"。或许是吕经逼迫导致了章氏自杀,但章氏是自杀,吕经并没有犯谋杀罪,其实罪不该斩,县令将章氏的自杀理解成捍卫贞洁的道德行为,因而作出了有利于女性的判决。

与之相适应,妇女的不道德行为也会影响法官的判决。和凝的《疑狱集》载,五代石晋的安仲荣在镇常州时,曾有一对夫妇来告儿子不孝,安仲荣在法庭上责骂做儿子的,并抽剑让夫妇打杀逆子。父亲拿着剑不肯动手,说不忍心杀子,但母亲大骂儿子并拿着剑追赶。于是安仲荣再次审问此案,得知母亲乃是继母,对儿子毫无恻隐之心。得知真相后,安仲荣粗暴地命令继母离开法庭,在继母转身后,他从后一箭射杀了继母。据说当地百姓对这位继母被杀都拍手称快,古代评论家责备安仲荣此举为非法。从这一极端的案例可见妇女的道德人品对案件审理的影响,本来继母处在有利的法律位置上,但因其不慈,遭致如此厄运,尽管法官本人或许会为自己的一时冲动付出代价。

原典选读

上元元年(674)十二月二十七日,天后(武则天)上表曰:"夫礼缘人情而立制,因时事而为范,变古者未必是,循旧者不足多也。至如父在为母止服一期,虽心丧三年,服由尊降。窃谓子之于母,慈养特深,生养劳瘁,恩斯极矣! 所以禽兽之情,犹知其母,三年在怀,理宜崇报。若父在为母止一期,尊父之敬虽同,报母之慈有缺。且齐斩之制,足为差减,更令周以一期,恐伤人子之志。今请父在为母终三年之服。"遂下诏依行焉。当时亦未行用,至垂拱年(685-688)中,始编入格。……至(开元)二十年(732),萧嵩与学士改修五礼,又议请依上元元年敕,父在为母齐衰三年为定,乃颁礼,乃一切依行焉。(宋王溥《唐会要》卷三十七《服纪上》)

以父行法,不忍;阿有罪,废国法,不可。失法伏罪,人臣之义也。于是乎伏斧锧,请死于王。……君令赦之,上之惠也。(战国吕不韦等著《吕氏春秋》第十九卷《离俗览》第七《高义》)

男女之别,在位者所宜慎也,此而不慎,奚其为政! 故妇人而健讼者,未可轻听也,妇人而被告者,未可轻拘也。闺内之防,吾乡所最重,乃里中有为守,而好刑妇人者,其子孙消替为厮养焉。天网之不漏,斯昭昭矣。吾不欲著其名,然里人无不知者,可以为鉴。(明方弘静《千一录》卷二十四《家训二》)

凡验妇人,不可羞避。若是处女,扎四至讫,(才舁)出光明平稳处,先令坐婆剪去中指甲,用绵札,先令死人母亲及血属并邻妇二三人同看验是否不是处女。令坐婆以所剪甲指头入阴门内,有黯血出,是;无则非。(宋宋慈《洗冤集录》卷二)

其妇人犯罪应决杖者,奸罪去衣受刑,余罪单衣决罚,皆免刺字。若犯徒流者,决杖一百,余罪收赎。(薛允升《唐明律合编》卷三《名例》"工乐户及妇人犯罪")

江苏司查妇女犯罪定例,军、流以下,全予收赎,惟奸、盗、不孝,杖罪的决,余罪收赎。而决杖之中,又分等差,犯奸则去衣受刑,盗及不孝仍单衣决罚。盖妇女首以名节为重,而欲重名节,先全廉耻,苟非犯奸之妇,则名节未至全亏,即盗与不孝,犹得单衣决罚,意至厚也。至妇女实发为奴一项,旧例止谋反、叛逆与奸党乱政之妻、妾、子女应行缘坐。及犯法本系家奴,其妻妾应行调发数条,或以其情罪重大,或以其分本奴婢。迨后因妇女犯法之案多有情节可恶者,将实发为奴条例,节次加增,如因奸致纵容之父母自尽,因与人父子通奸酿成逆伦重案,因奸抑媳同陷邪淫致令自尽等条,本无名节可言,为奴复何顾惜?其有虽非因奸,亦拟实发为奴者,如妇女殴差、哄堂,罪至军、流以上,发驻防为奴一条,妇女翻控,实系挟嫌挟忿,图诈图赖,审明实系虚诬,罪应军流以上发驻防为奴一条,定例时,均以妇女逞凶健讼,恃得收赎,故加重,拟以实发,惟所犯未涉奸私,竟令实发为奴,则单身就道,既与解役为侪,服役主家,或竟加陵辱,是因一朝之忿致一生之名节不克保全,其情不无可悯。又姑谋杀子妇之案,如仅止出言顶撞,辄蓄意谋杀,凶残显著者,发伊犁为奴一条,亦以惨杀无辜,加重实发,惟姑媳名分犹存,若以杀媳之故，令其名节荡然，则死者之翁与死者之夫皆蒙辱含羞，终身莫赎，揆之死者之心，亦所不忍。又因盗致纵容祖护之父母自尽，发云、贵、两广充军，子孙之妇有犯，与子孙同，应改发驻防为奴一条，查妇女犯盗轻于男子，故例得免刺，而盗又轻于奸，故例得单衣决罚。原以妇女无知，易贪小利，或往来亲族邻佑而偷攫器物，或过场围积聚之地而窃取果蔬，核其情节，较犯奸之廉耻丧尽者，迥不相侔，其父母舅姑之自尽，或因纵容祖护畏罪以致戕生，亦应与犯奸之妇量为区别。以上四条，若竟予实发，既无以全廉耻，若遽予收赎，又无以示惩创……幼孩、妇女同一无知，皆在应行矜恤之列。犯该死罪之幼童，既得监禁数年，以消其桀骜之气，不令实抵，则前项犯该军流以上之犯妇亦应仿照，免其实发，量予监禁，以戢其泼悍之性，其监禁年限，即视其原犯之罪立定等差，以昭平允。臣等公同酌议，应请嗣后凡妇女有犯殴差、哄堂、翻控、诬告及姑谋杀媳、因盗致纵容祖护之父母舅姑自尽各项，审非因奸起衅者，如原犯罪应军流，监禁三年；罪应外遣，监禁四年。如果安分守法，俟年限届满，由管狱有狱官察看情形，实知改悔，据实结报，即予释放。倘有在监复行滋事者，除犯该笞杖，仍准收赎，外如犯该徒罪以上，酌加监禁半年，犯该军流以上，酌加监禁一年，是否安静不致别滋事端，再行分别办理。若该犯妇并无滋事犯法，而官吏狱卒故意陵虐之者，照陵虐罪囚例加等治罪，并令各省问刑衙门，嗣后不得于现行律例之外将妇女再议加重实发为奴。如此酌为变通，既可使犯妇保全廉耻，而亦不致恃妇肆习，以肃政体而维风化。（清祝庆祺《刑案汇览》卷三"工乐户及妇人犯罪"）

为殇立后

庚辰（1760）馆长洲郑明府毓贤幕，县妇周张氏，富家也，年十九而孀，遗腹子继郎十八岁，将以八月授室，七月病殇。族以继郎未娶，欲为张之夫继子，而张欲为继郎立嗣，辗转讦讼，前令皆批房族公议，历十八年未结。二月，郑君受辞张氏，谓继郎物故后，苦百倍于抚孤，未亡人数濒于死，死何足惜，但继事未定，死不瞑目。今年已望六，死期日近，恐旦夕死，而夫与子之鬼俱馁。语甚哀楚，余调查全卷，厚逾数尺，族继张辞，张继族控，批归房族，官无成见。乾隆十九年（1754），张指一人可立为孙，而房族谓其甫离襁褓，未必成人。后又另议，终至宕延。余因拟批：张抚遗腹继郎，至于垂婚而死，其伤心追痛，必倍寻常，如不为立嗣，则继郎终绝，十八年抚育苦衷，竟归乌有。欲为立嗣，实近人情，族谓继郎未娶，嗣子无母，天下无无母之儿，此语未见经典，"为殇后者，以其服服之"，礼有明文，殇果无继，谁为之后？律所未备，可通于礼。与其绝殇而伤慈母之心，何如继殇以全贞妇之志！乾隆十九年（1754），张氏欲继之孙，现在则年已十六，昭穆相当，即可定议，何必彼此互争，纷繁案牍？同事诸友皆以为事关富室，舍律引礼，事近好奇，况以累批房族之案，官独臆断，必滋物议。郑君见批大诧，再三属改，余曰："批房族不难也，为民父母，而令节妇抱憾以终，不可。余为主人代笔，令主人造孽，心不安，吾不顾其为富为贫，论事理耳。批不可易，请易友。"遂辞郑君。郑君勉用余批，不慊也。张所欲继者，果已成立，因立继书，遵依完案。后有不肖族人反复翻告，皆不准理，至五月初五日午宴，抚军手袜单饬县封送是案全卷，座客震动。余曰："吾无私，天可见，况上官乎？"阅四日，郑君谒抚军,归述抚军言,盛赞此批得体。始知有生员上控,批发苏州府亲提重责注劣。郑君以上官许其能,大悦。抚军,桂林陈榕门先生宏谋,事皆亲办,凡上控之案,皆不批查,先以硃单调卷,或有未惬,则戒官而兼训幕,故一时吏治无不肃然,此硃其一也。(清汪辉祖《佐治药言》,见收清胡文炳《折狱龟鉴补》卷一)

古代女性的文学生活

明代叶绍袁在《启祯记闻录》中讲了一件发生在明天启、崇祯间的有关女性书写而引发的悲剧性事件。陆家媳妇是读书人家的女儿，工于笔札，陆家有幢房子要出租，她就写了一张"此屋招租"的广告贴在出租屋前。没想到，里中的恶少揭去了这张广告，互相传看，对着这张女性所写的文书讲轻薄、挑逗的话。她的丈夫听说这件事后，不停地责备妻子不该写这张招租广告并贴出去，妻子一时气不过，就上吊自尽了。这当然是很极端的一个事件，但从这个事件中，我们至少可以看出如下几点：（一）当时社会妇女存在的隐蔽性。身体、姓名、文字都不宜为闺门外的世界所知晓。（二）妇女"工书札"具有两面性。就这件悲剧性的事件来讲，陆家媳妇工书札可能有助于她的房屋招租成功，但在当时的社会观念下也给里中恶少提供了侮辱她的契机。（三）女性文字流出闺门可能招致轻薄男人的侮辱，对女性文字的侮辱可以意淫为对女性身体等的侮辱，似乎意味着妇女的失贞，所以那些轻薄少年会觉得占了便宜，而她的丈夫会觉得这是羞辱。可见，中国古代的女性创作始终充满矛盾：一方面是大量女性的大量创作，前辈学者胡文楷花20多年搜录中国古代妇女文集，他在1957年完成的巨著《历代妇女著作考》的"自序"中给出了中国古代女性文集的大概数据："自汉魏六朝，以迄近代，凡得四千余人。"这样的女性文集和女作家的数量是世界上任何国家都无法相比的，甚至超过当时中国之外的世界其他地区女作家和文集的数量之和。而另一方面是对女性文学创作的焦虑，妇女一边写作，一边宣称写作非妇女本分，甚至在去世前要求家人焚烧自己的文集，不使它流出和流远。同时，有史以来的文学、学术标准是为以男性为主的诗作和理论著作量身打造的，以之来衡量女性作品，往往凿枘不合，因而不免使不少女性作品显得不入流品、无所建树。摆脱女性文学是男性文学附庸的局面，建构适应中国古代女性文学评价标准的工作是十分艰巨的。

古代女性的文学成就

中国古代妇女写作和妇女作品,古人认为可以追溯到成书于公元前 7 世纪的《诗经》。如《诗序》将"邶风"中的《绿衣》《燕燕》《日月》《终风》归于卫庄姜,但现代研究者认为这种说法值得商榷。不过我认为《诗经·鄘风·载驰》是许穆夫人之作的说法,还是比较具有历史依据的,因为《左传》闵公二年(前 660)记"许穆夫人赋《载驰》",《诗序》明确表述为"许穆夫人作也"。即使某些现代研究者不认同此说,但不可改变的事实是,中国古代文人包括女性诗人,都将《诗经》中的这些作品看作是女性文学的源头。孔子将这些诗编入《诗经》,是支撑后世女性写作合法性的最强有力的依据。

《汉书》收录了汉高祖戚夫人的《歌》,汉武帝时嫁乌孙王的江都王刘建女儿刘细君的《歌》,以及汉成帝许皇后的上疏和班婕妤的《自悼赋》,这是女性文学最可靠的一批文献,分别代表了女性诗、文、辞赋的成就。班婕妤的《怨歌行》最早见于南朝梁昭明太子《文选》,六朝人钟嵘在建构五言诗史时,认为自西汉李陵到班婕妤的将近百年间,五言诗的杰出人物"有妇人焉,一人而已",这一评价是很高的。

上文已述,"夫为妻纲"绝非"男为女纲",分阶级、阶层和身份来考查古代妇女会更为有效。从文化教育水平的角度看,贵族妇女和士族妇女更有机会成为文学家,后汉最出色的女学者和最有文学声誉的女性当数班昭、徐淑和蔡琰,她们都出自当时最负盛名的文学家族,也分别代表了最出色的母亲、妻子和女儿身份的文学家。班昭最终完成了其兄班固的《汉书》,创作了经典教育文章《女诫》和辞赋《东征赋》;徐淑与秦嘉的夫妇唱和,开创了文学夫妇的生活和创作模式;蔡琰是蔡邕之女,蔡邕被杀,郑玄惋惜汉朝之事将无人考定,蔡琰是能记诵父亲家藏图书十分之一的女儿,她的存在承载了汉末文化浩劫后的文化重建的一部分,是文化传承的一种象征。不过,因徐淑诗最早见于《玉台新咏》,蔡琰五言和骚体《悲愤诗》出自《后汉书·列女传》,《胡笳十八拍》最早出自郭茂倩的《乐府诗集》,有不少学者怀疑她们不是这些诗歌的真正作者。此外,班昭是汉和帝皇后、贵妃的女师,与执政的邓太后关系紧密,她为皇帝的贡物写赋;蔡琰与曹操关系密切。总之,她们能够接受良好的教育,具备出色的写作才能,其作品能得到重视并能保存下来,她们所在的阶级是其中很重要的原因。

虽然我们现在所能见到的自前汉至南朝宋之间的女性作品不多,不过,《隋书·经籍志》告诉我们殷淳(379－438)当年能编成30卷的《妇人集》,可见妇女的创作是相当活跃并有规模的。西晋重要的女作家左棻是著名诗人左思的妹妹,她与哥哥有赠答之作,但更多的是她作为晋武帝贵妃受诏所作的辞赋,或为皇室成员如杨皇后、万年公主写作的诔文。公元 454 年,女作家韩兰英向宋孝武皇帝进献《中兴赋》,从中可略窥妇女文学创作的公共性和时代性,而不能够理解成完全的私下创作。徐陵在南朝梁时编成《玉台新咏》一书,是为了满足宫廷女性的阅读和写作之需。

其实,从秦汉到初唐武则天之时,中国文学发展始终与宫廷文学关系密切。在武则天、中宗朝,武则天的私人秘书、后来成为中宗昭容的上官婉儿是当时最好的诗人之一,同时是当时宫廷文学趣味的仲裁者和引领者。

盛唐之后,尼姑、道姑、歌妓诗人和创作开始头角峥嵘。她们的职业身份为她们赢得了行动的自由,与士人交往也使她们有创作诗文的必要,也有利于她们的诗歌流传和保存。唐朝三大女诗人中,盛唐的李冶是位道姑,与皎然、陆羽、刘长卿有诗歌唱和;中唐的薛涛,先为官妓,后入道籍,与元稹、韦皋、刘宾客、李太尉、卢员外、郭员外唱和,她的兰心蕙性,使得她能够发明一种优雅的信笺;晚唐的鱼玄机先为士人的妾,后入道籍,她与温庭筠、李郢李端公、左名扬、刘尚书等地位很高的男性交往。与此相适应,韦縠的《才调集》选入了李冶和其他女诗人的诗歌。五代十国时期,成都和金陵是两个重要的文化中心,而成都女作家的创作尤为丰富。有前蜀顺圣皇太后和皇太妃的游览之作,还有宋人从蜀地搜集到的文书中发现的花蕊夫人的百首"宫词",这批宫词是继唐王建《宫词》之后最出色的宫词,在宋代有各种抄本和刻本。

宋代士人身旁有不少知书达理甚至文采斐然的女性。如欧阳修在《归田录》中说梅尧臣的继妻刁氏机敏善对超过自己的丈夫。王安石的母亲、妻子、女儿,魏泰姐姐、曾布妻魏夫人都很有文才,只是她们的文集散佚得太厉害,并没有多少留存下来。宋代最有成就的女性学者和文学家当数李清照、朱淑真。李清照是丈夫赵明诚的文章伴侣,更是宋代最伟大的词人之一,她是尖锐的词论家、金石收藏家和文物鉴赏家、优秀的诗人与文章家,还是精通各种游戏的玩家。她的文集、词集在南宋就已刊刻出来,可惜我们现在能够见到的她的诗歌很多只是断句残篇,词也主要来自宋明词选。尽管如此,她依然是宋代最杰出的词人,她的诗歌掷地有声,文章亦堪称妙品。与她齐名的南宋女诗人朱淑真,是中国古代较早的所适非偶的女诗人,这种没有知己的诗人生活以及由此产生的文学也是中国古代女性文学中的一大类型。在明万历以后女性诗人大量涌现之前,还有赵孟頫与管夫人、杨慎与黄娥等文学艺术成就极高的夫妇。

明代中期,学者对女性作品兴趣渐浓,他们编辑了历代女性文学选集。如《彤管新编》成书于嘉靖三十三年(1554),田艺蘅的《诗女史》成书于嘉靖三十六年(1557),会稽郦琥的《彤管遗编》20卷成书于嘉靖四十三年,当然最有影响力的还是万历年间钟惺所编的《名媛诗归》。这时女性作家的别集也被刊刻出来。从现有的材料看,嘉靖以前刊刻的女子文集较少。有的以抄本流传,渐渐散落,比如徐祯卿的《异林》曾感慨孟淑卿诗文"零落已多";有的附于家中男性文集后,如屈淑遗诗附于其夫的《韩五泉参议全集》后;黄娥诗词附《杨慎集》后;杨文俪诗附于其夫孙升的《文恪集》后等。嘉靖以后,妇女别集的搜集出版渐趋活跃。如元代吴人郑允端的《肃雍集》,到嘉靖中由其五世孙刊刻出来;天台潘碧天存稿也在嘉靖初年刻出。到隆庆、万历年间,明代女诗人的文集大致被整理刊刻一遍,锡山俞宪因编《盛明百家诗前集》《盛明百家诗续集》对女子文集搜拾刊行。"前集"对王淑卿、朱静庵、邹赛贞等16家作了整理,"续集"则有马闲卿、黄娥、潘碧天集等人。在明人编选妇女作品、整理女性文集时，对女性作家的经典化过程就已开始，女性作品不再是文选、诗选后的附骥尾者，而有了专收女性作品的新型选本形式。编选者以女性作品对主流文学创作和男性文学创作进行反省，并发现及倡导新的文学发展走向。如田艺蘅强调妇女诗歌清新，"章句学士，有深惭矣"（《留青日札》卷三九）。钟惺在《名媛诗归》的序中说："今人工于格套，丐人残膏，清丽一道，颇弃失之，缬衣反得之。"这些诗论家觉得，在章句学士等男性手中丧失的诗歌的质朴、自然和清丽，在质朴、纯洁和清慧的女性诗中获得了。

　　中国古代妇女大量创作文学是在万历十八年（1590）以后。一方面，女性得益于男性亲属、师友的帮助，并被纳入当时的文学潮流中，这时江南通达之士以女子能文为荣。周亮工的《书影》卷六载自己嫂子的外公、"金陵社集"宿将柳应芳在嫁女时，"以所刻诗板为奁具，时谓愈于昔人系羊牵犬也"。而许多江南名士、诗人旁边都有几个才女。如屠隆妻杨氏、女瑶瑟、媳沈天孙（沈懋学女）俱能诗，每相倡和，姑嫂皆赋年短促，屠隆合刻她们的作品为《留香草》。此外屠隆还为金华陆静专的《兰雪斋集》、秀水姚青娥的《玉鸳阁集》、通州袁九淑的《伽音集》等作序。又如臧懋循与外甥女吴贞闺唱和，钟惺为吴氏评定刊行诗文，又为四川宜宾尹纫兰作《断香铭》。王稚登则活跃于江南的诗妓中，为其揄扬。孙遥华为金陵曲中名妓，能鉴别古书画鼎彝，王稚登极称之，以为今之李清照。马湘兰为秦淮名妓，万历十九年（1591），王稚登为其《湘兰子集》作序。听说王稚登之名，建昌妓景翩翩以诗集《散花吟》寄之，王稚登写诗加以赞美。冒愈昌、张幼于也活跃于金陵妓女之间，冒愈昌为赵今燕刻诗，附于马湘兰作品之后，又集郑如英、朱泰玉之作，合为《秦淮四姬诗》。其他如王汝谦、钟惺、谭友夏等对草衣道人王微，程嘉燧对崔嫣然，冯开之对郝文珠，也多有赞誉。而梅鼎祚则以女史体例为历代娼妓作《青泥莲花记》。另一方面，闺阁女子也相互交往，出现了大大小小的女作家群，并探索适合女性的文学传统。比如苏州的徐媛和陆卿子。徐媛弟仲容这样理解陆、徐交往以及她们的创作："今夫深闺之彦饶天下奇慨，不能踔厉风云，第以帷房数尺地当寰中五岳、海外十洲，而以搦管为芒屩，蹴幽穷仄，下上今古，忽劃然天高地迥之表，奇藻络绎，庸讵不烈于须眉？"（《络纬吟题辞》)寥寥数语道出了女性得到难得的创作机遇时所爆发出的写作热情和创作成就。

在陆卿子、徐媛影响下的一代才女中，有的有幸嫁在开明之家，天启、崇祯年间大都已绿树成荫。一种新型的母女传承的诗歌教育模式发挥出它的作用，女性文学家族化倾向更为明显，规模也越来越大。吴江沈宜修是进士沈珫之女、沈璟侄女，沈家为吴江甲族，一门风雅。沈宜修少承女师，十六嫁叶绍袁，两人"伦则夫妇，契兼朋友"，花期月社"赏心艺圃，娱志谈薮"（叶绍袁《百日祭亡室沈安人文》，《午梦堂集·鹂吹集附集》)。夫妇生有五女八男，俱有文采，男儿7岁就外学，女儿则由母亲实施教育。沈宜修"鄙中垒《左传》之读，陋惠姬《女诫》之垂"，主要教她们诗学，几个女儿十二三岁即能作诗填词。母女同题共作，相互切磋。崇祯五年（1632）叶小鸾、叶纨纨相继夭逝，父母将她们的遗作整理刊刻成《返生香》《愁言》两集。家族以及吴越才女纷纷作挽，叶绍袁汇集这些诗赋文诔成《彤奁续些》上卷。其中家族中才女，长辈有沈媛、沈智瑶（宜修妹）、沈倩君（沈璟次女），同辈有周弱英（沈媛女）、沈宪英（舅长女）、沈华鬘（次女）、沈蕙端（沈璟从孙女）、严琼琼（姑女）、顾锈琴（姑女）；吴越才女有秀水沈纫兰，嘉兴黄媛贞、媛介、德贞三姊妹，苏州王徽，昆山李璧、张蕊仙，另有金陵吴山等。沈宜修又由为自己女儿刻集而追想天下奁香彤管湮没不彰，因发愿"博搜海内未行者，暇时，手衷辑之"（叶绍袁《跋语》），编成名媛诗文选集《伊人思》。《伊人思》是第一部本朝妇女诗文集，虽然篇幅不大，但很有特点：它特别重视对母女、姊妹诗人作品的著录，母女诗人如王凤娴与张引元、张引庆，沈纫兰与黄淑德、黄双蕙等；姊妹诗人如方孟式、方维仪，黄媛贞、黄媛介，屠瑶瑟、沈七襄等。选录作品亦以母女、姊妹交往诗文为主。如选方孟式《维仪妹清氛阁集序》，选方维仪《寒月忆妹茂松阁》《暮春与吴姊话别》，选田玉燕《携二女如瑜如瑾游半山》等，反映了明代妇女文学的家族化倾向。除此之外，当时尚有桐城方孟式、张德茂，方维则（姑母）、方子耀（侄女），黄字鸿、顾之琼，仁和顾若璞与黄氏诸女，虞净芳、丁如玉等母女传诗的例子。从家族的角度看，如吴江尚有吴贞闰、吴静闰姊妹；顾若璞与弟妇黄字鸿，丁汝亨前妻虞净芳、继配张如音、其女丁汝玉俱能诗，而顾若璞又是丁汝玉姑母；桐城尚有吴令则、吴令仪姊妹，吴令则又与方维仪为姑嫂。家族与家族之间也可以构成联系。与此同时，她们也积极地出版文集。与以前不同，她们往往自己作序或由文学团体中女子作序。如顾若璞曾作《卧月轩集自序》，又与张如音同为弟媳黄字鸿《闺晚吟》作序；方维仪为弟媳吴令仪整理文集传世，又为伯姊方孟式的《纫兰阁诗集》作序，《纫兰阁诗集》也是由女子刊刻出来的。

就像北宋末的动乱改变了李清照诗词的内容和风格，明清易代之际也使众多女性的创作超越了闺阁。她们忧国伤时，希望能有所作为而又壮志难酬，因而化为悲愤沉郁的文学作品。如江西闺秀刘淑（1620－1657年后），在国难前，与丈夫生活甜蜜，与闺秀诗友酬唱，过的是"小阁翻诗句句香，傲人明月助轻狂"（《秋词答康夫人赠》之《鹧鸪天·秋咏》）的生活。清兵人江西后,她倾家资招兵买马,准备投奔驻军长沙的实力强大的何腾蛟一同抗清,在途经永新时,永新守卫张先壁竟要纳其为妾。刘淑被关押,但她宁死不屈,最终愤恨归家,大业未果,悲愤地写下了《黄莺儿·感怀禾川归作》等词作。她说自己洒泪别秦关,但丹心无果,穆桂英当年骑的桃花马殷红依旧,可屠龙的宝剑却被自己闲置不用,这是多么让人羞愧的事情,所以她只能用宝剑割下月光覆盖自己羞愧的脸。自己的病弱和软弱,在这样惨烈的时代,连殉国都没有资格,只能选择"不食周粟"而隐居首阳山。然而女诗人又岂能平静地卧于首阳,她以半缕佯狂的行为方式,写作一函愤激的诗歌,她买刀载酒游于世间,内心灼热地感受着世态的荒凉。她的作品堪称非常阳刚的女性书写。

上文已述,16世纪晚期,女性文集开始出现,到17世纪上半叶达到高峰,此后渐成颓势。18世纪下半叶,女性文学创作再次增多,19世纪上半叶蔚为大观。胡文楷先生的《历代女性著作考》载4000余家,其中清代文集有3600余家,清代女性文学创作达到极盛。与16-17世纪女性文学作家身份略有不同的是,清代名妓作家一蹶不振,活跃其中的主要是闺秀作家。创作式样主要是诗歌,但戏曲和弹词、小说增多。与明代男性家人在幕后扶持不同,18世纪末,一些著名的文人以闺秀诗人导师的身份公开出现。如袁枚晚年退居南京,招收了50多名女弟子,1796年,袁枚出版了《随园女弟子诗》;陈文述在杭州有30多位女弟子,包括最有雄心的诗人和诗论家、她的儿媳汪端;在苏州,任兆麟和妻子张滋兰周围也有一群女诗人,当时有"吴中十子"之目。任兆麟夫妇筛选"吴中十子"优秀之作,1789年刊刻了《吴中女士诗钞》。

虽然女性涉猎戏剧写作,也有证据表明1877年出版的

《红楼梦影》是女作家的小说,但弹词无疑是清代女性倾注心力的文学形式。清代可考的弹词女作家有 21 位,作品三四十种。女性弹词作品卷帙浩繁,比如,初刻于 1849 年的《安邦志》长达三百二十回,续集《定国志》二百七十回,第三部《凤凰山》也是大致相当的规模,而李桂玉的《榴花梦》有三百六十回。此外,女性的每一部弹词背后都有一张江南闺秀的交际网络。比如陈端生的《再生缘》是对无名氏母女的弹词《玉钏缘》的续书,陈端生生前写了 17 卷,没有完成,但获得许多女性知音。所谓"唯是此书知音久,浙江一省遍相传",陈端生去世后,梁绳祖和丈夫许宗彦续作 3 卷,此书最后由女作家侯芝改定。

古人对于妇女创作的复杂心态

　　明万历年间张问达弹劾李贽，其中一个重要的理由是李贽公开招收女弟子，并且与一名跟她学道的女弟子有不正当关系，这次弹劾最终导致李贽的死亡。当袁枚招收女弟子时，章学诚公开责骂袁枚"诱无知士女，逾闲荡检，无复人禽之分"，指控袁枚是"名教之罪人"，可见时人对女诗人从师、学诗的态度非常不同。又比如万历年间，徐媛和陆卿子在吴中唱和，就在吴中士大夫望风景附、交口赞誉之时，桐城女诗人方维仪则批评吴中女诗人不过是偶尔识字，堆积龌龊，好名而无学，这里又涉及女诗人内部的不同声音，不同区域的诗人对同样一批女诗人创作的不同评价等等。此处我主要讨论诗人自己和家人对女性写作的看法以及与女性创作成就的关系。

　　各时代成就最高的女文学家，往往都获得家人的极大支持和鼓励。李清照的父亲李格非是很为女儿骄傲的，李格非朋友毕仲友给李格非的信称李格非的儿女是"眷爱郎、娘"。李清照的《金石录后序》有"自来家传《周易》、《左氏传》，故两家者流，文字最备"句，这里的"家传"，指的是李家的家传。李格非用意经学，著有《易学精义》，后来专门研究史学，对《左传》情有独钟。李格非有数子，但将家传的两家书传传于李清照，可见对女儿为学的重视、肯定和期望。明代万历年间最有影响力的女诗人徐媛的创作也得到家人极大的支持和鼓励。其实徐媛学诗并不早，她是与范允临结婚以后看到丈夫同诗友结社酬唱才开始喜欢诗的。徐媛开始尝试写诗更是在 20 年后。因为诗艺不够成熟，她只能摹写一些小诗，但不管是尝试写作的断句还是小诗，父母都"见而怜之，辄称善"，丈夫则鼓励她"遂成之"。正是家人的这些鼓励使徐媛诗艺突飞猛进，成为明后期江南最有影响力的女诗人。与徐媛齐名的陆卿子也得到了丈夫赵宦光的支持，钱谦益的《列朝诗集》说，当时人认为他们夫妇是"高人逸妻，灵真伴侣"。赵宦光在给陆卿子的《考槃集》所作序中，赞扬妻子志于学、志于诗的精神。汪端是清代最有雄心的诗人和诗论家，她希望重构明诗史和女性文学史，她的公公是清代有名的女诗人导师之一的陈文述。汪端的事业得到公公极大的支持，陈文述赞美汪端："开辟班曹新艺苑，扫除何李旧诗坛。"这是肯定，更是鼓励。

中国古代不少人以家有女诗人为荣，但做一位才女的丈夫也并不轻松。《后汉书·列女传》记载，马融的女儿马伦在新婚之夜遭到夫婿三次为难，但马伦都在言辞上占得上风，折辱夫婿，这件事被帐外人听到，都深以为惭，也就是说旁人并不羡慕袁隗娶到了一位才女，袁隗或者因此而受到同侪的嘲笑，可见才女未必给丈夫增光。这种观念延续到清代，甚至在当今社会依然如此，事业成功的妻子要费尽心机保护丈夫的自尊心。比如《杭郡诗辑》记载，女诗人顾姒诗名甚著，受到当时诗歌领袖王士祯等人的称赞，有人赠诗给她的丈夫说："闺中有良友，茶忆故山泉。似此惊人句，难为赠妇篇。""茶忆故山泉"是顾姒盛传于时的名句，赠诗者对顾姒的丈夫开玩笑说，你妻子作得这样的好诗句，你想要作一首可匹敌的"赠妇诗"是很困难的吧。

确实，中国古代有一些女诗人的家人出于各种原因反对女性作诗，有的导致女性文学实践的中止，有的家人出于顽固的理学立场而厌恶女性创作。如《众香词》记载，钱塘妇女王璋 18 岁嫁给仁和诸生孙孝帧,尽管王璋女工极精,事公婆极孝,甚得喜爱,也无法改变公公孙宇台这位西泠理学名儒对妇女作诗所持的极端厌恶的态度,最终王璋只能"仰体舅意","绝笔不再作诗"。我们不知道王璋是否为自己这一处境和选择感到痛苦,只知道王璋结婚两年后就去世了。有的丈夫无文,对妻子的文学创作不能欣赏,反而刻意摧折,这样的例子是相当多的。如钮琇在《觚剩》中说,桐乡女诗人顾宛在嫁给吴兴贵公子,这位贵公子不但蠢笨,而且性格褊狭,家中庭院甚美,所谓"庭凉、月皓、径暖、花芳",但绝不让顾宛在"一至吟咏",以至于诗人意不聊生,憔悴经年而逝。可见家人的支持和自然的清风朗月对女诗人的重要性。又如江都任春琪嫁到仪征后,丈夫"见嫁奁中笔砚画具,悉取而掷弃之",一年不到,任春琪就郁郁而逝。这样所适非偶而生活抑郁导致早逝的女诗人颇多见于明清记载,如《杭郡诗续辑》所载的仁和女诗人俞桂,《苏州府志》所载吴县吴瑛,《闽川闺秀诗话》所载姚铃姑等。丈夫不懂诗,就很难期待他珍惜诗人的心血。如山阴女诗人胡慎容,虽然有一位诗人哥哥,但她不解诗的丈夫在胡慎容去世后,"一切焚弃之",其兄来不及整理妹妹的诗作,只能徒唤奈何,所以胡慎容只有少数传在人口的诗得以存世。

有些女诗人因人生遭遇突然变故于是放弃了诗歌创作。据《青浦县志》载,华亭女诗人孙淡霞的丈夫去世,她成了寡妇后焚烧了自己的诗稿。《桐乡县志》载,桐乡女诗人陆蕙心嫁给归安名士,结婚不久,丈夫得癫痫病,陆蕙心于是绝口不再吟诗。华亭女诗人张玉珍,在公公、丈夫死后,养遗腹子成人,不久儿子也去世,仅留一孙,张玉珍哀恸欲绝,令婢女取自己的诗词稿尽投火中。尽管记事没有告诉我们女诗人烧诗的所思所想,但从记事看,如果女诗人们只是认为以后再没有时间创作，那也不用烧毁之前的创作，由此令人怀疑女诗人是否将自己人生的不幸与女性写作联系了起来，或许有些女诗人将自己的创作看作不祥之事。相反，有些遭遇不幸的女诗人将自己的写作看作是艰难生活的安慰。如《青浦县志》载，女诗人顾步在丈夫逝后，守苦节以终，将自己的"悲思菀结一发于诗"。《竹净轩诗话》载，青浦廖云锦的丈夫亡后，她"键户焚香，抚琴吟诗以寄其愁寂之况"。《续槜李诗系》载，女诗人陈克毅在丈夫和遗腹子相继去世后，唯一的安慰是还有一个女儿，但女儿出嫁前突然病逝，陈克毅在亲人相继殂谢，自身俯仰无依时，"托于诗以自写其伶仃孤苦之状"，将自己的诗集起名为《余生集》，诗歌给了她"余生"，诗歌也成了她的"余生"。

不少女诗人将写作看作是自己生命中最重要的东西。《国朝闺秀正始集》载，山东莱阳早寡的女诗人周淑履临终前告诉两个儿子，她的诗集，"此为心血所在"，希望他们将她的诗集刊刻出来，两个儿子完成了母亲的嘱托。海盐女诗人张步萱在去世前数日，将自己整理好的诗稿定本交给哥哥，说自己生平所好都体现在这本诗集上，希望哥哥以后能为自己刊刻问世，则一生的心愿足矣（《续槜李诗系》）。毛先舒女儿毛媞将诗歌看作是自己的孩子。毛媞年四十，仍没有子嗣，有一天她与小姑等花下宴集，小姑采来宜男草让嫂子吟咏，说吟此草能带来吉祥。毛媞说，诗歌是我用我的生命创作的，诗歌就是我的孩子（《杭郡诗辑》）。一些女性因丈夫反对自己作诗而不惜与丈夫分居或离婚。《苏州府志》载，女诗人吴瑛性不耐俗，觉得丈夫俗不可耐，夫妻关系不佳，吴瑛让丈夫置妾，主动将自己妻子的位置让出，"以自抱衾裯自居"，只为换得"虚室焚香、啜茗、翻阅书画、研弄笔墨"的生活。又如《墨林诗话》载，随园女诗人孙云凤结婚后,丈夫"见笔砚辄憎",于是夫妻反目,孙云凤愤而归家。吴江汪玉轸,因所适不偶,离开丈夫卖文自给(《名媛诗话》)。

实际上,让更多女诗人感到困扰的是婚姻和家庭责任与作诗在时间、精力上难以兼顾。如写作《笔生花》的女作家邱心如,在《笔生花》的首末往往倾诉自己生活烦恼。在第一回她开门见山地写到自己少女时代培养起来的文学兴趣:"深闺静处乐陶然,又值三春景物妍。清昼永,惠风宣,最好光阴是幼年……未知世态辛酸味,只有天生文墨缘。喜爱父书翻古史,更从母教嗜闲篇。"少女时代的她,翻看父亲的藏书,跟母亲学习,酷爱文学。因为结婚,她的小说创作从第五回中断了 19 年,在第五回末尾诗人写道:"一自于归多俗累,操持家务费周章。心计虑,手匆忙,妇职兢兢日恐慌。那有余情拈笔墨,只落得油盐酱醋杂诗肠。"写作《再生缘》的女作家陈端生也有"可奈于归俗累牵"的慨叹。一般来说,长篇弹词创作可能需要作家有更多、更整块的时间;诗歌创作,特别是小诗创作则可以在日常生活的间隙,甚至在日常生活时完成,但事实上,女诗人同样有这样的困扰,特别是生活对创作心境的影响。"吴江三女史"长姊鲍之兰在其《五十感怀》诗前自序中写道:"余幼学操觚,中年荒落,流离颠沛,廿载清贫,翰墨之事,束之高阁。"在诗中,她又说:"家道看中落,诗情忍弃捐。"劳顿的生活没有余闲读书以培养学殖,也就阻塞了诗歌的源头活水。鲍之兰在《三十初度自述》中说自己"年来学殖多荒落",她慨叹:"养闲能半日,亦足濬诗源。"(《示璇玘二小女》)所以有些诗评家将女性的文学、学术成就的取得归结于妇女结婚晚。王文治为奉贤女诗人庄盘珠的《剪水山房集》作序时说:"孺人于归甚迟,故能宽闲其岁月以成其学。"我还观察到不少女诗人的继妻身份,为人继妻,女子可以出嫁较晚，而丈夫可能已功成名就，这为女性创作提供了更好的保证。如阳湖女诗人钱湘，23岁出嫁，做按察史赵仁基继室，丈夫重视她的文学兴趣，甚至做钱湘的诗词老师，指导她确定创作路线。归有光的《丘恭人七十寿序》也说，丘恭人父母有三个女儿，父母疼爱女儿们，发誓一定要给她们找到"贵人"，他们拒绝了无数次提亲，女儿们"至于长"才出嫁，丘恭人成功嫁给了早已中进士、当时在南都任职的王济美为继室。

一般来说，相对于公婆，女儿与父母相处自然更随性自由，所以女儿小时候对读书感兴趣，可以读读书，并有父母亲加以督促指导。有的开明之家，甚至让女儿幼入家塾，随兄弟读书，如上文提到的钱湘就是这样一位幸运的女儿。不过，在中国古代，父母让女儿读书的最终目的可能不过是做一位更好的妻子和母亲，无论如何，将女儿培养成文学家、学者的目标从未明确过、合理过。对女儿好读书的不支持、不理解，最早可能见于《后汉书·皇后纪·邓后纪》。邓后邓绥能通《史传》《诗》《论语》后，诸兄每读经传，邓绥就提出许多疑问，她的兴趣志向在典籍方面，完全不问居家之事。于是母亲批评道，你不好好地习练女红供给家人衣服，而是这样努力学习，难道你想要被举荐为博士吗？邓绥母亲提出了古代社会对于女性的制度性缺失，也指出了古代女性面对的是有局限性的社会分工。对于母亲的责难，邓绥并不与之对抗，也不阳奉阴违，而是反求诸己，以一身之劳而达得兼美。她白天修习女红，晚上诵读经典，家人最后默许了她的读书，都称呼她"诸生"。她的父亲尤其看重这个女儿，事无大小，都跟这个女儿商量。后代也有不少女儿通过自己对读书、写作的执著最终让父母认同的例子。如随园女弟子、山阴女诗人潘素心，她的父亲潘汝炯，字石舟，官至知州,尽管女儿 10 岁就娴于吟咏,对读书十分感兴趣,不过父亲依然认为即使能诗,对一个女儿来讲也不重要,所以屡次阻止女儿作诗。一天,园丁锄地得到素心故意埋在土中的一只瓦盆,上面有素心写的诗:"王者之香别有春,如何委弃在泥尘。名花自合加培植,莫使芳魂怨主人。"素心以名花自比,批评父亲无视、弃置女儿的才华,希望父亲能加意培养自己,她也威胁父亲如果不这样,女儿会怨恨的。父亲最终明白女儿要做诗人、学者的理想是不可阻止的。有了父亲的默许,潘素心"毅然以不栉进士自命",每日"牙签玉轴,伏案如书生",后来就用"不栉"命名自己的诗集。幸运的是,潘素心嫁给了钱塘汪润之。袁枚在《随园诗话》中感慨闺秀能诗者往往嫁无佳偶,袁枚的几个妹妹就是如此,不过他说只有吴柔之与狄小同、潘素心和汪润之能"彼此唱和,若笙磬之调"。

古代女诗人对女性意识的表达

　　这里的女性意识是一个朴素的观念,就是女性个体意识到女性作为个体和群体与男性不同,女性个体认同自己的不同并努力发展自己的不同,或者认识到社会对女性的不同对待而试图反抗以取得与男性同等的对待等,都在我所说的女性意识范围之内。

　　鱼玄机是中国古代女诗人中最早抱怨科举考试将女性排除在外的一位。她在《游崇真观南楼睹新及第题名处》一诗中写道:"云峰满目放春晴,历历银钩指下生。自恨罗衣掩诗句,举头空羡榜中名。"唐崇真观在新昌坊,位于大雁塔附近,女诗人游崇真观,看到新及第进士们的题名,历历银钩,刚劲苍健,心中油然而生在这样的社会中作为女性的悲凉,自己何尝不会吟诗作赋,何尝不能历历银钩地题名,可是因为自己是女人,就只能永远沦为空羡榜中名的看客。显然女诗人对自己的才华是自信的,诗歌表达了对女性不能参与社会人才竞争的遗憾。

　　清代女诗人梁兰漪在这一点上有更激情的吟唱。做女儿时的梁兰漪被父母娇养,并且是寄予厚望的。她在《七歌》中唱道:"父兮母兮空生我,膝前珍爱同娇左。每怜生女胜生男,家学青缃免废堕。"父母甚至认为在继承家学方面,女儿可能胜过儿子。女诗人自小养成济世的理想,她在《浩歌》中吟诵道:"少小弃脂粉,所爱与人殊。木铎启聋聩,翳桑活饿夫。广厦千间田万区,庇尽天下之寒孤。苍梧翠竹抱吾庐,月波春水绕门梧。高牙大纛拥旌符,车乘蒲轮马乘驹。身厌锦缎红罗褥,口饫天浆饱御厨。挥毫煮茗事诗书,当头不管流金乌。"她提到了一系列自己想做的事情:为他人,她希望能够振木铎于道,启发民智,做社会的启蒙者,能救济天下的饥寒者;为自己,她希望能做大官,有大富,在经历大富大贵后,享受清雅的生活,读书写作,从而忘却或逃脱时间对于个人的咨啬。梁兰漪的理想,不论在怎样的社会,具有何种性别,都是很难实现的。不过,她说世上总有实现了这一理想的男性,"丈夫有志终须吐,一朝得志气如虎。肘悬金印食千钟,光辉顿觉生门户",却没有一个实现了这一理想的女人,所以她有理由从性别角度抒发自己的愤懑。她唱道:"造物造物吾何雠,生为巾帼心隐忧。平生志气横嵩邱,大业奇勋唾手求。"因为现实生活中理想的难以实现,她将这些理想付诸诗歌、梦境或醉乡,"辕驹屈伏不甘求,梦攀天府觅封侯"(《浩歌》)。"心境是须眉,生身恨巾帼。形骸不敢放,名节颇自惜。悲啸几吞声,裣衽铩六翮。恨触不周崩,泪洒丹枫赤。几度欲问天,云霄九重隔。低头抚素心,命也悲何益。近日学饮酒,醉乡无顺逆。割绝百种愁,昏昏竟朝夕。"她在《抛书歌》中写道:"嗟吁乎!金章紫绶非吾有。空抱奇书不离手。博综今古待如何,一室萧然大如斗。废书三叹不复看,慷慨悲歌独倚栏。掣出人间不平剑,泠泠光射斗牛寒。"她将这女性的不平之剑有力地掷向了社会制度。

除了社会的不平,也有女诗人从家庭生活的侧面来书写女性生活的不自由。与鱼玄机、梁兰漪一样,清康熙年间在耿精忠叛闽时以一己之身换得永康一城免于战火的吴绛雪,同样对女性才能极有信心,所以不是女性没有才能,仅仅因为女性性别限制了她的一切。在寄给祁彪佳、商景兰的三女儿祁德琼的诗中,吴绛雪赞美祁德琼具有司马相如般的才华,只可惜生为女性(《春闺寄和祁修嫣女史》)。吴绛雪喜欢谈论军事,为此可以废寝忘食,尽管她知道在她的时代谈论军事不是深闺中人该做的,但谈论的自由和任性还是可以有的。她在《赠邻女》诗中写道:"倚栏清风作晓寒,喃喃絮语忘朝餐。谈兵未必深闺事,偏挽邻娃说木兰。"吴绛雪对女儿出嫁一定要离开父母、姐妹的婚姻制度,对妇女在家庭中从属于父亲、丈夫没有自主权表达了诸多不满。如她在《招翠香二姊以诗代束》诗中,首先表达了女性结婚后离开母家的不人道,"如何为骨肉,聚首失芳辰",她担心自己结婚后父母的生活,"今妹复有适,膝下更谁亲"?她与姐姐约定春天一道归省父母,将来一起买山为邻,最后她说,她多么羡慕老莱子,已经老大,还可以做婴儿在父母身边。在《孝子传》的讲述者看来,老莱子假扮婴儿是娱亲,是孝敬,是儿女的付出;在吴绛雪看来,不管孩子有多大,在父母身边,她永远是开心的孩子,享受父母的爱,是获得。吴绛雪的不少诗都在感叹女性的不自由、身不由己。如《送次姊》:"定省思姑舅,艰难别老亲。兼营无善策,一往不由身。"作为女性,照顾长辈的职责永远在身上、在心中,回娘家,担心公公婆婆是否安好;在婆家,担心自己的父母是否安好,所以永远失去了自由。年轻时,吴绛雪随宦父亲,当她刚在父亲仕宦地结识了新朋友,享受着友情,父亲又要离开。她在《将从秀水至嵊县别素闻》诗中吟道:"事不自由身是女,伤心还订再来期。"又在《春日有怀素闻》写道:"相忆无缘教缩地,芳华不共倚栏看。"女儿就是这样被动地行走在世间,什么时候才能自己决定自己的行踪呢?

高彦颐在《闺塾师》的"绪论"中提出的第一个问题是"封建社会尽是祥林嫂吗"?她认为:传统社会"妇女普遍受压迫"的预设,是"五四"新文化运动、共产主义革命和西方女权主义学说这三种意识形态与政治传统罕见合流的结果,这一逻辑引导人们去企盼着女性一有机会便会反抗或逃走。当下的研究已少见"妇女都是受害者"的显性表述,但这一预设依然隐秘且无所不在,影响着我们对古代女性作品的解读。比如李清照,按照她本人和同时代人的叙述,李清照夫妇志同道合,感情甚笃,在传统社会一直被视为神仙眷侣般的夫妻。我想如果没有女性是受害者的预设,很难想象现代研究者能从李清照的《多丽》词中读出丈夫有外遇、李清照被弃的"故实"。陈祖美先生分析《多丽》说:"从表面上看,此词用事用典过于堆砌……实际很可能是作者故意用一些无关紧要或不相干的故实,来掩盖'泽畔东篱'和'解佩'、'纨扇'这些涉及她内心创伤的重要故实。"(陈祖美《李清照词新释辑评》)就《多丽》而言,此为咏物词,词人按菊色、菊香、菊韵、菊情有次第地咏"白菊",在各部分都使用了不少典故,其中写菊情部分,词人在"菊爱人""人爱菊"之意上展开,其中"汉皋解佩""纨扇题诗"典,既写出菊花含愁带泪的、向人无限依依的情态,又写出人当爱菊的原因。因为一切都会消逝,而且消逝得很快,因此下文"纵爱惜,不知从此,留得几多时。人情好,何须更忆,泽畔东篱"就自然流出。就典故而言,刘向的《列仙传》中,郑交甫请女子之佩,女子给他佩,郑交甫"受而怀之,即趋而出",而佩很快消失,所以"汉皋解佩""愁凝"的是男子郑交甫。即便此处如释词者所言,写男子有"外遇",然而由释词直接构建词人生活经历,其间没有任何史料支撑,也是过于放任自己作为释词者的权力了。退一万步来讲,即使赵明诚有妾,在中国古代社会是算不得"外遇"的,以赵明诚、李清照所处的时代和他们的身份地位而言,无妾反而是不自然的,无子而不纳妾能不被当时人批评和谈论也很难想象。而最重要的是,将女性倾诉被弃看作是女性意识的觉醒不管是在理论层面和社会实践层面都是一个极大的错误。首先,妇女被弃是建立在女性没有独立社会、经济人格的基础上才能成立,如果双方皆有独立人格,则一段关系的结束应该是两个个体选择的互相离开,何来被弃之理?其次,将倾诉被弃看作女性意识的觉醒正中指控"女人善妒"的男性的下怀,为对女性有偏见者提供了例证。总之,现代研究者热衷于在女性文学作品中解读出被弃的书写,实际上一石三鸟地满足了五四史观持有者解读女性多种需要:(一)传统女性是受害者;(二)她们意识到了女性的不幸,她们是女性意识的觉醒者;(三)她们敢于书写自己的不幸,她们是反抗者。这是我们在阅读、分析古代女性作品时要特别加以注意的。

阅读者有自己的观点、信念、态度、需要、期待、理解,这本无可厚非,从政治、道德、女权主义角度解词本身也没有问题。我想谈的是一个适应度的问题,因为每一个文学文本总是羁绊于写作的具体情境,具体时间、空间和境况等,以读者和作者为一方的对作品情境趋于精确性的追求业已宣告开始。《孟子·万章下》曰:"颂其诗,读其书,不知其人,可乎?是以论其事也,是尚友也。"萨义德在《世界·文本·批评家》中说:"(文本)的现世性、境况性,以及文本作者既具美感特殊性,又具历史偶然性的事件的地位,都被视为含纳进了文本,而且,在传达和发生意义能力上,是它不可分离的一部分。意思是说,一个文本具有具体的情境,它之所以对释义者及其释义施行限制,并不是因为情境像一种神秘事物那样隐藏在文本之中,倒不如说是因为,这一情境与文本性客体自身那样,存在于同一个表层特殊性之中。"《孟子》从读者"尚友古人"的层面提出这一追求,萨义德《世界·文本·批评家》从"文本性客体自身"角度提出这一释义的要求和限制。假如一个文本的创作情境如此,文本的呈现和反制的解读走向是如此,这才是适度的解释。

我将以徐灿词的解读为例,谈谈以上两个问题,进一步说明中国古代女作家对女性意识的表现。人们将徐灿的《忆秦娥·春感次素庵韵》解读成弃妇词,其实是一种误解。陈之遴、徐灿夫妇以《忆秦娥》为题写了三首唱和诗。陈之遴词牌下有"三月"之题。词是这样写的:"春时节。年年三月偏愁绝。偏愁绝。断冈残树,几枝寒雪。招魂一曲商歌阕。伤心两把啼痕血。啼痕血。锦帏鸳带,那年曾结。"何以"年年三月偏愁绝"?下阙明确作答:"招魂一曲商歌阕。伤心两把啼痕血。"招魂、商歌等表明可悼亡的主题。而此人"锦帏鸳带,那年曾结",可知词为悼妻妾之作。上阕"断冈残树",用苏轼的《江城子》中"短松冈"稍作变化而来,所以此词当为悼念亡妻之作。据陈元龙的《家传》(《陈氏宗谱》)载,陈之遴"原配沈夫人早世",徐灿为继室,此词或乃陈之遴悼念沈氏之作。三月,是陈之遴哀悼的时节。陈之遴在同调《和湘蘋韵》中写道:"春三月。天公似吝芳菲节。芳菲节。连朝旧雨,一庭今雪。年来情绪何堪说。暖风晴日还凄切。还凄切。千愁放了,一般难撇。"同是春三月,天公过去用雨,今朝又用雪来摧折芳菲。"年来情绪何堪说",表明新丧,因而苦痛之多,无时能离。另外,其在《满庭芳·偶成》中亦写道:"天公作剧,搬弄出、两样年华。春三月,酒情花趣,都在别人家。"三诗皆可证其家三月独特的悲哀。徐灿在《忆秦娥·春感次素庵韵》词中写道:"春时节。昨朝似雨今朝雪。今朝雪。半春香暖,竟成抛撇。销魂不待君先说。悽悽似痛还如咽。还如咽。旧恩新宠,晓云流月。"三词同韵,都叹息故雨、今雪前后摧折芳菲,为酬和之作。"半春香暖,竟成抛撇"隐喻悼亡故事。徐灿词说自己完全理解陈之遴的痛苦,故云"销魂不待君先说",更何况旧恩新宠化为晓云流月,杳不可追。"悽悽似痛还如咽"既是陈之遴之感，也是徐灿之感。

我以为寻找徐灿词作的女性意识，不是找她是否妒忌，而是寻找她独特的、不失女性尊严的女性意识的书写。比如《青玉案·吊古》可以从家国之思和女性意识两方面加以解读。这首词这样写道："伤心误到芜城路。携血泪，无挥处。半月模糊霜几树。紫箫低远，翠翘明灭，隐隐羊车度。鲸波碧浸横江锁，故垒萧萧芦荻浦。烟水不知人事错。戈船千里，降帆一片，莫怨莲花步。"当年鲍照在竟陵王叛、刘宋孝武帝讨平并屠城后来到广陵城，见血迹尚在，创痕犹新，感慨万千，写下了《芜城赋》。徐灿词接续《芜城赋》而写，因为误到芜城，没有心理准备，更觉广陵之惨，所谓"携血泪，无挥处"，说广陵城已为血泪填噎，所以自己的血泪已无处承载。透过模糊的泪眼和朦胧的霜树，词人进入了似繁华而实君恬臣嬉的历史，仿佛听到悠远的笛声，看到宫女发上翠翘闪烁不定的光芒，还有隐隐约约的晋武帝羊车在后宫恣意所行的声音，因而下文的"一片降幡出石头"也就是历史的必然了。词人又想起刘禹锡的《西塞山怀古》，她的思绪沿长江上溯金陵，想起孙皓锁江的千寻铁锁，在王濬楼船下益州之后，永沉江底，毫无用处，只能作为历史的见证，见证又一次的戈船千里，另一次的降帆一片。词人又想起花蕊夫人的《国亡》诗："君王城上竖降旗，妾在深宫那得知。四十万人齐解甲，更无一个是男儿。"所以她说不要将家国破碎归罪于女子，归罪于红颜祸水，还是请当政者负起真正的政治、历史的责任吧！词人在此总结政治、历史兴亡的教训，也批判"红颜祸水"的历史书写，具有较强烈的女性意识。

又如徐灿词对有交往的女性友人的书写，也能看出她独特的女性意识。比如她的《西江月》写道："剪烛闲思往事，看花尚记春游。侯门东去小红楼，曾共翠蛾杯酒。闻说倾城尚在,可如旧日风流。匆匆弹指十三秋,怎不教人白首。"《唐多令》写道:"客是旧游人,花飞昔日春。记合欢、树底逡巡。曾折红丝围宝髻,携娇女,坐斜曛。芳树起黄尘,苔溪断锦鳞。料也应、梦绕燕云。还向凤城西畔路,同笑语,拂花茵。"第一首是追忆风流倾城女,词人与这个女性春游、看花,在侯门东红楼上与她杯酒相酌,留下了美好的回忆,纵使13年后,亦记忆犹新,历历在目。词人眷念的是这样的女性,倾城是重要的,风流更重要。第二首词所写的当为一位闺秀,与徐灿在西山合欢树底流连的不仅有丈夫,还有徐灿的女性朋友,"曾折红丝围宝髻,携娇女,坐斜曛",展现了一幅美丽、幸福、雍容、静谧的母女图,令人心醉不已。而"还向凤城西畔路,同笑语,拂花茵",表明与女性朋友的交往构成了徐灿幸福的源泉。

徐灿作为女词人,她的性别意识还体现在她对女子气的细腻把握、喜爱并心醉式的书写。如《御街行·燕京元夜》词写道:"华灯看罢移香屧。正御陌、游尘绝。素裳粉袂玉为容,人月都无分别。丹楼云澹,金门霜冷,纤手摩娑怯。三桥宛转凌波蹑。敛翠黛、低回说。年年长向凤城游,曾望蕊珠宫阙。星桥云娴,火城日近,踏遍天街月。"华灯已看罢(灯火已熄),看灯人群已散,大路上已无游人,一位穿着粉红上衣、素色下裳的女子还兴犹未尽地走在大街上,她的脸色如玉,人淡如月,她也感觉到元宵节令时夜晚的寒冷,两只小手不停地呵搓着。她走在桥上,令人想起凌波微步的仙女,她微微地皱着眉,嘴里一个劲地说着:我要年年到京城游玩,我要观赏宫殿。正月十五就要到了,那天我一定要到前门看灯,我要踏遍天街的月色。此词选取的是今晚已灭、不久将点燃的无灯时刻,让这个女儿与月色独处,但火树星桥一直在女儿的心里点亮着,侧写得很妙。正月十五在男性诗人笔下,充满了艳遇和期待艳遇的心，还有人散后满地的珠翠，让人想象人潮的拥挤和不轨。如此一对比，方显得女性词的端庄和纯净，游玩、看灯、踏月就是全部理由。虽然灯尽人散，然而没有感伤，只有快乐和无尽的期待和计划。女儿不胆怯，不娇羞，不怕走夜路，不是女神也非鬼魅，是一位美丽、快乐、健康而略带任性的女儿，这就是女词人笔下的女儿，更接近女儿的书写。这里有一位叙事者，与词人同体，一直快乐地陪伴在女儿旁边，微笑地看她、听她说话，既投入又无干扰，不作评论，这成就了徐灿式的女性书写，它是独异的。徐灿当然有很多感慨家国兴亡的词，也有具有女性意识的词，但一切解读都必须以文本为基础作适度的阐释，避免任何观念、方法的滥用，更不宜将之变成解读套路。

女诗人的女性意识书写

由上文可知,女诗人们是如何激烈地批判社会制度的不公,但批判是一回事,以行动挑战社会制度是另外一回事。女诗人们随父亲、丈夫宦游是妇女从父、从夫的美德,但女性自主的旅行则不成为理由,会受到社会的质疑。许多研究者已指出,明清女诗人有自己的各种性质的社交圈,祁彪佳和商景兰这对金童玉女,伉俪相重,未尝有妾媵的从一而终的夫妻在各自的同性圈子里各玩各的、各过各的社交生活。冯梦祯的《快雪堂日记》也曾记录夫人与诸女及其他友人游湖,他自己在家待客,甚至有夫妇俩参加各自活动,竟然在景点不期而遇的事。所以,在明清风气较开放的江南,妇女们结伴作节令旅行并非新鲜事,但如果与男性相杂的旅行则是另外一回事。我将以万历、天启年间常熟女诗人翁孺安为例,来说明将女性意识付诸实践所导致的毁灭性后果。

翁孺安,字静和,号素兰,父亲翁宪祥,万历二十年进士,官至太常卿,《明史》有传。翁孺安有弟兄三人,姊妹四人,她是家里的第二个女儿。翁孺安是一位渴望自由的女性,这从她的 30 首落花诗中就可以看出来。古代落花诗多以伤感为主,比如杜甫的《曲江二首》说:"一片花飞减却春,风飘万点正愁人。"秦观的《千秋岁》中,"春去也,落红万点愁如海"更给人断肠之感。虽然龚自珍有"落红不是无情物,化作春泥更护花"的诗句,但一来,这首诗远在翁孺安之后,二来此句出自理性的思考。中国古代最豪迈的落花诗倒出自女性之手,前有李清照的"不怕风狂雨骤,恰才称,煮酒残花",满是游赏的兴致,后即数翁孺安之作。别人从落花看到花离开故枝后意味着的死亡:春尽、花逝;从落花飘落的姿态看到飘零、不可预知的未来等。翁孺安想到的却是落花终于摆脱了束缚,可以自由地飞翔了。她想象落花各种飞翔的姿势,自由飞翔的落花成就的各种不同的风景。"朅来靡定自西东,闲逐游丝忙逐风。细缀草头文縠乱,暗飘书带翠烟笼。凝眸残蕊疏帘度,拂袖余香曲槛通。勿向阳关增别泪,轻生已和燕泥红。"落花的飞翔原本没有方向,所以每一瓣都可以自己决定方向,它们可闲可忙,可以飞得快,可以飞得慢,可以细缀草头,可以暗飘书带,可以经由诗人的眼眸度过疏帘,可以藏在赏花者的衣袖进入曲栏,即便是追随西出阳关远行的旅人,也不必伤感,因为它轻盈的生命已经融入燕泥之中,等待着燕子的再次归来。她说:"谁教天女剪罗衫,遗得残机被风衔。染就五章成异彩,幻同六出逐飞帆。疑星微映千江月,如雾轻笼万仞岩。此日梁园图画里,乱红点点燕呢喃。"又说:"狂态不禁山鸟乱,香魂何处彩云飘。……休怨残春红渐瘦,瘦红飞处倍多娇。"(《落花诗》之七)翁孺安的落花,是如鸟般飞翔的风衔着天女织机上留下的轻罗,是彩色的雪花,风飘万点的落花是月夜的星斗,是轻笼万岩的雾霭,在梁园的美景中,落红点点,幼燕呢喃。

翁孺安把对自由的追求渗透到自己的文学中。其中之一是书写游玩。比如《泛湖》诗云:"一叶轻舫泛尚湖,远看野鹤入云孤。苍茫日暮衰芦畔,独理纶竿欲钓鲈。""尚湖"是常熟之景,诗人驾一叶轻舟,从白天游到日暮,然后独自在那儿整理鱼线准备钓鲈鱼。《园林四首》第二首写道:"抱膝长吟花石间,翛然趺坐对高天。甫听牧笛邀新月,旋见渔灯乱暝烟。"抱膝趺坐,翛然长吟于高天下、花石间,听牧笛,看渔灯,也是直至夜晚不归的。第二,她敢于自由书写对丈夫、对兄弟的不满。比如《丙寅春二首》，第一首说在母亲刚去世，自己痛苦方深之时，兄弟眼中只有金钱，不念她如车辙中的枯鱼，不但不给予她斗升之水，反而煎熬她，而更令人伤心的是丈夫以妻为妾，以孽代宗。第二首她明白表现了她与弟弟的冲突。她用聂政和姐姐、屈原和姐姐女婴两个典故挑明了这一点，可能是和弟弟在房产问题上有矛盾，女诗人甚至说，她愿意像聂政姐姐那样以自己死来给弟弟扬名，她还说她很惭愧不能像女婴那样劝谕弟弟。翁孺安将家庭勃豁诉诸文字，虽然直白辛辣，但当时人并非完全不能接受，后来整理刊刻翁孺安文集的计隆就说，这不过是像鲍令晖这样的姐妹因为才思清华，所以作文挑战哥哥鲍照；或者如谢道韫，因为神情散朗，所以将丈夫与自家兄弟相比而有点瞧不上自己的丈夫罢了。

翁孺安是中国古代最具女性意识的女诗人，《追古述怀兼妄评己事》可视为其代表作。她在诗中说："最苦妇人身，六尺非吾有。偏余金石志，从一惟吾守。岁寒心事傲冰霜，披衷明月流清光。精神真可变天地，从古贞风奚足媲。"她赞赏"金石志""从一""岁寒心"，但她对"从一"作了全新的解释。当一般人认为女性的"从一""金石志"是"贞节"时，她说这只是"古贞风"而已，自己的"从一""金石志"是"古贞风"无法比拟的。她的"从一"是"追左荼，联雪句，女流文墨殊希遇"，是接续女性文学传统的女性文章建树；是"泣犀杖，赋戍边，尚友陈编犹凛然"，接续女性政治道德和政治成就的女性政治与道德建树。她认为自己接过了前辈女性的旌节，自己要做的不是接续李白这些男性作家的事业，而是继承和开创由班婕妤、班昭开创的女性事业："捉月盛风岂奴事，愿今且效班门女。"翁孺安还曾作过一首《拟南宫试宴》诗，想象进士及第的风光，可能有的被礼遇和同侪交往的乐趣。在欢乐的最后，她想起了自己的女性身份，诗歌在幻灭感中结束。

素蘭集卷上　　　　　　　　　　　鐵琴銅劍樓鈔藏本

　　　　　　翁孺安靜和　　　南誠居士校

落花詩三十首

揭來霏定自西東閒逐遊絲忙逐風細綴草頭文縠亂暗飄書帶翠

煙籠凝眸殘蕊疏簾度拂袖餘香曲檻通勿向陽關增別淚輕塵已

和燕泥紅

昨宵記得滿枝穠忽訝今朝逐亂蜂點點斷溪煙欲灑霏霏幽砌錦

成封臨春巳散當年伎玉樹徒爲別後容驚燕不須悲去轍東風一

度一相逢

細翦紅羅與碧幢紛紛零亂扇銀缸散香有色雲成陣如雨無聲綺

映窗匪是弱枝甘蕩漾祇因風力勉歸降若將畫景相方比一幅縢

素蘭集卷上　　　　　一　　　　　佚叢甲集

翁孺安《素兰集》书影

《众香词》说翁孺安每每在人定街寂的夜晚,令女侍着胡奴装,跨骏骑,出外夜游,躞蹀不休。春秋佳日,常常扁舟自放,吴越山川,都被她游遍了。钱谦益的《列朝诗集》说翁孺安"风流放诞",翁孺安在行动上突破闺阁和独立不群颇遭时议,这一点她是非常清楚的。不过,她从男性历史人物中获得了力量,她说:"尽多皓白污泥沙,千金身价争日丽。"这里诗人引用淮南王刘安评价屈原的话,表明她以屈原为榜样,坚信自己的千金身价,自己的皓白是多少泥沙也染不黑的,自己的品德是可以与日月比光明的。她知道她的行为是违背礼法的,不过阮籍、嵇康等放达名士的"礼岂为我辈设"给了她力量。在《夏日闲居十韵》中,她写道:"懒去真成癖,愁来独抱疴。……笑傲忘时月,烟霞剩薜萝。交情云黯淡,世态路嵯峨。礼法非因我,声名岂惜他。闲中无俗事,怪得尔长歌。""礼岂为我辈设也",在一些人看来,是令人神往的魏晋风流,在另一些人看来,却是名教罪人,特别是女性被认为"风流放诞",就更大逆不道了。1627 年 9 月 14 日夜,翁孺安被杀,据说她死得很惨,当时人所写的传记说:"乃衅起萧墙,祸同剚莽(一作刃剚弱质)。"对于杀人凶手,张国维的《抚吴疏草》说凶手是家奴吴阿三,主谋就是她的弟弟翁源德。翁孺安"愿为聂姊身先死",真是一语成谶。遗憾的是她的身后名并非如她想象的那样能皎然涅而不淄,既无"竹林七贤"的潇洒,更无屈原的高洁。《列朝诗集·闰集·香奁》可能因为不想让常熟翁家蒙羞,所以将女诗人的翁姓易为羽,钱谦益、柳如是将羽素兰列于妓女薛素素和杨宛在之间,小传说她虽出自高门,但归于戚施,"风流放诞",足以杀身。朱彝尊的《明诗综》也将翁孺安置于妓女之列。不过,翁孺安作为诗人的名声是得到肯定的。一百多年后,随园女弟子中常熟女诗人一起唱和时,她们想到的前代诗人就是翁孺安。席佩兰丈夫孙原湘有诗说："三人压倒翁素兰，我愧不如徐芳若。"光绪年间张继良的《佚丛甲集》铅字排印本《素兰集》跋语中有诗："阅罢遗编意惘然，思君当日倍堪怜。奇装月下联游骑，逸兴无涯泛客船。煮豆何曾悲并蒂，落花偏不委香茵。匆匆恶梦浑无据，胜有才名慰九泉。"

在中国古代社会，女性可以用文字诉说不公，但不可用行动反抗不公，翁孺安是中国古代最有勇气的女诗人，在明代，"男有李贽，女有翁孺安"，或许是说得通的。

原典选读

陆灵严之孙陆九者，妻固儒家女，工笔札，偶写一"此屋招租"票黏于租屋，不意里中恶少揭去，互相传视，作轻薄语。夫闻，咎其妻不已……其妻愤甚，遂自缢死。（明叶绍袁《启祯记闻录》卷一）

高祖崩，惠帝王，吕后为皇太后，乃令永巷囚戚夫人，髡钳衣赭衣，令春。戚夫人春且歌曰："子为王，母为虏，终日春薄暮，常与死为伍！相离三千里，当谁使告女？"（《汉书·外戚传》）

汉元封（前 110—105）中，遣江都王建女细君为公主，以妻焉。赐乘舆服御物，为备官属宦官侍御数百人，赠送甚盛。乌孙昆莫以为右夫人。匈奴亦遣女妻昆莫，昆莫以为左夫人。公主至其国，自治宫室居，岁时一再与昆莫会，置酒饮食，以币帛赐王左右贵人。昆吾年老，语言不通，公主悲愁，自为作歌曰："吾家嫁我兮天一方，远托异国兮乌孙王。穹庐为室兮旃为墙，以肉为食兮酪为浆。居常土思兮心内伤，愿为黄鹄兮归故乡。"天子闻而怜之，间岁遣使者持帷帐锦绣给遗焉。（《汉书·西域传》）

（汉）班婕妤《自悼赋》

承祖考之遗德兮，何性命之淑灵。登薄躯于宫阙兮，充下陈于后庭。蒙圣皇之渥惠兮，当日月之圣明。扬光烈之翕赫兮，奉隆宠于增成。既过幸于非位兮，窃庶几乎嘉时。每寤寐而累息兮，申佩离以自思。陈女图以镜鉴兮，顾女史而问诗。悲晨妇之作戒兮，哀褒阎之为邮。美皇英之女虞兮，

荣任姒之母周。虽愚陋其靡及兮,敢舍心而忘兹?历年岁而
悼惧兮,闵蕃华之不滋。痛阳禄与柘馆兮,仍襁褓而离灾。
岂妾人之殃咎兮,将天命之不可求。

白日忽已移光兮,遂晻莫而昧幽。犹被覆载之厚德兮,
不废捐于罪邮。奉共养于东宫兮,托长信之末流。共洒扫于
帷幄兮,永终死以为期。愿归骨于山足兮,依松柏之余休。

重曰:潜玄宫兮幽以清,应门闭兮禁闼扃。华殿尘兮玉
阶苔,中庭萋兮绿草生。广室阴兮帷幄暗,房栊虚兮风泠泠。
感帷裳兮发红罗,纷缤缭兮纨素声。神眇眇兮密靓处,君不
御兮谁为荣?俯视兮丹墀,思君兮履綦。仰视兮云屋,双涕
兮横流。顾左右兮和颜,酌羽觞兮销忧。惟人生兮一世,忽
一过兮若浮。已独享兮高明,处生民兮极休。勉虞精兮极
乐,与福禄兮无期。《绿衣》兮《白华》,自古兮有之。(《汉
书·外戚传》)

(清)金逸《一悟斋与竹士夜谈,去后作》

一帘细语不成丝,挽婿灯前与论诗。家近不归如梦远,
花寒未放识秋迟。心灰久病拈针懒,眉讳新愁只镜知。约略
听他双燕语,腰肢减瘦比来时。(金逸《瘦吟楼诗稿》)

暮春偕竹士游塔影园

依然溪水隔林扉,舣棹来寻旧钓矶。幽赏恰宜三月尽,
清狂得似两人稀。竹烟浮翠晴生坞,花雨吹红湿溅衣。极阁
危栏闲倚望,半天清话塔铃微。(金逸《瘦吟楼诗稿》)

(清)于洁《寄兄沧来》

织尽人间寡女丝,三更涕泪一灯知。近来焚却从前稿,
不为怀兄不作诗。

儿女干啼湿哭余，偷闲才得寄家书。望兄好继襄勤业，莫使官声竟不如。（《晚晴簃诗汇》卷一八六）

（清）张印《读班大家传有感》

忆昔侍笔砚，群籍纷披搜。我母时禁止，夺书或父尤。父时告我母，曾闻大家否？表志迈迁史，笔削追《春秋》。六宫席前拜，融续门下收。子成荷母荫，亦封关内侯。而我闻之喜，逸气同云道。迄今读其书，颜色惨似愀。史必三长具，宁独词藻优？婕好固家学，左谢安能侔？我才远不逮，古人良可求？勖哉闺门内，掩卷神与游。（张印《茧窝遗诗》）

顾春《自先夫子薨逝后，意不为诗。冬窗检点遗稿，卷中诗多唱和，触目感怀，结习难忘，遂赋数字，非干有所怨，聊记予生之不幸也，兼示钊、初两儿》

昏昏天欲雪，围炉坐南荣。开卷读遗编，痛极不成声。况此衰病身，泪多眼不明。仙人自登仙，飘然归玉京。有儿性痴顽，有女年尚婴。斗粟与尺布，有所不能行。陋巷数椽屋，时在西城养马营，赁房数间暂居。何异空谷情。呜呜儿女啼，哀哀摇心旌。几欲殉泉下，此身不敢轻。贱妾岂自惜，为君教儿成。（顾春《天游阁集》）

（明）刘淑《黄莺儿·感怀禾川归作》

洒泪别秦关，木兰舟寄小湾。丹心不逐出笼鹇。桃花马殷，屠龙剑闲，长祛片月裹羞颜。病屏屏，岂堪殉国，宜卧首阳山？

孤生天地宁有几，已占了天之二。从容冷看尘寰事，半缕伴狂，一函愤激，恼得天憔悴。买刀载酒空游世，笑看他蟠虫负耄。长天难卷野无据，惟有孤生是。（刘淑《个山遗集》

卷四）

《从军未毕家人劝我以归》十二首之九

掷将匕首尚铿然，未斩仇人但呼天。自此延津藏剑气，潜龙不再跃深渊。（刘淑《个山遗集》卷二）

(明)翁孺安《追古述怀兼妄评己事》

最苦妇人身，六尺非吾有。偏余金石志，从一惟吾守。岁寒心事傲冰霜，披衷明月流清光。精神真可变天地，从古贞风奚足媲。尽多皓白污泥沙，千金身价争日丽。追左棻，联雪句，女流文墨殊希遇。泣犀杖，赋戍边，尚友陈编犹凛然。文章忠孝□□钟，窃思流辈难追踪。耿耿芳衷还自语，曾将劲节归付汝。捉月盛风岂奴事，愿今且效班门女。（翁孺安《素兰集》）

丙寅(1626)春二首

黄墟陟屺痛方深，不念枯鱼只见金。燃豆相煎千古恨，白华三复更伤心。

避锷埋名柳市东，不堪重过黍离宫。愿为聂姊身先死，归喻徒惭屈氏风。（翁孺安《素兰集》）

古代女性的美和妆饰

中国古代女性是极其爱美的。考古学家在发掘北京山顶洞人遗址时,就发现了约一万八千年前的发饰和项链。项链是贝壳和砾石之类串起来的;发饰由石灰岩精心磨制的、中心穿有小孔的四颗石珠组成,如果用皮绳之类穿成环状就是我们现在绑头发用的装饰性发带。那么中国古代妇女是如何打扮自己的? 她们认为怎样才是美? 是否有一些美的标准是长久不变的? 美和表现美有没有阶级和性别的差异?

古代女性的面貌身体之美

　　中国古代女性面貌、身体的美的标准在很大意义上是由《诗经·硕人》奠定的。因为早期还没有公认美女，时人又与自然界十分亲近，所以诗歌多借用自然界动植物的性状来描摹、比拟女性的美。女性美的主要倾向有：身材尚颀长（"硕人其颀"，短粗是弱点），手长得像茅草刚刚发出的嫩芽，柔软而修长（"手如柔荑"，硬、短是缺点），皮肤颜色要白，质感要细腻、柔滑、润泽（肤如凝脂，黑、黄、粗糙、干枯是缺点），脖子如天牛的幼虫，颀长、洁白、柔软、丰润（"领如蝤蛴"，短、黑、粗硬、干枯是缺点），牙齿如瓠瓜的籽，洁白、小巧、排列整齐（"齿如瓠犀"，黑黄、大、不整齐是缺点），额头像蝉的额头那样方、广（窄、狭、尖是缺点），眉毛如蛾子，长长弯弯的（"螓首蛾眉"，短、粗、直是缺点）。诗歌虽然没有说什么形状的眼睛是美目，怎么样笑才是倩丽好看的，可以肯定的是眼睛和笑都必须灵动活泼("巧笑倩兮,美目盼兮")。《左传》说昔有仍氏生女鬒黑而甚美,光可鉴人,名曰"玄妻"。也就是说要头发乌黑有光泽才美。司马相如的《美人赋》也说"云发丰艳",头发较多似乎也是必须的。有时头发长也是美质。如《邺中记》说陈逵妹妹特别漂亮,发长七尺。宋玉的《神女赋》写女性面貌丰盈,脸色神态的温润如玉("貌丰盈以庄姝兮,苞温润之玉颜"),眼睛清亮("眸子炯其精朗兮,瞭多美而可观")。《美人赋》还写到"弱骨丰肌",强调女性骨骼要小,肉丰不干瘪,《楚辞·大招》也有"丰肉微骨"句。蔡邕的《青衣赋》已将《诗经》"硕人"作为美人的标准了。不过,曹植的《洛神赋》在《硕人》和《神女赋》之外增加了不少内容。《洛神赋》写洛神笑起来有酒窝("辅靥承权"),嘴唇红润、明媚("丹唇外朗"),对于身体则谈到身高适度("修短合度")、尚削肩和细腰("肩若削成,腰如约素"),还有气息的芬芳("含辞未吐,气若幽兰")。同时代人和后人书写美女虽然表述略有不同,但大致不出此范围。比如《焦仲卿妻》说"指如削葱根,口如含朱丹",也不外乎是手指要白而纤细,嘴唇要红润的意思。

历史上所谓的丑女可进一步证明上述女性美的标准并补充其他方面。如《列女传·辩通传》描绘齐宣后钟离春"极丑无双"。她的丑具体来说,包括:头中间凹陷,这与骨相有关,一般认为天庭骨当隆起,虽然头无恶骨,但缺天庭,终究是贱品;眼睛深陷;手指粗壮,骨节粗大;像猿猴那样鼻孔朝上的朝天鼻;像男人一样有突出的喉结;脖子肥短;头发黄稀;驼背;胸骨突出;皮肤像黑漆一样。又如《晋书·后妃传》载,晋武帝说卫瓘女有"五可"、贾充女有"五不可","卫家种贤而多子,美而长、白,贾家种妒而少子,丑而短、黑"。后来又借小吏之口描绘贾后"短形,青黑色,眉后有疵"。可见身材矮、短,皮肤青黑,脸上有疤痕都是丑。

146

古代妇女的流行服饰

中国古代妇女服饰随着时代而变化,学者利用出土文物,大致可以得出这样一些认识:商朝人多穿齐膝短衣,扎着裤脚,贵族衣服多有织绣花纹,妇女多梳顶心髻,用骨簪横贯固定,也有用骨和玉做成的簪子,簪顶装饰为鸳鸯或凤凰等鸟形,斜插头顶的两侧,妇女身上会佩玉。周公制礼,衣分等级成为一种制度,并且是其中重要的内容。服饰与社会身份、社会等级相对应,而衣服本身与商朝相比,则日益宽大。春秋战国时期,贵族衣服更加华丽,佩玉更加精致。年轻妇女喜欢梳辫子,眉毛画得浓浓的;有的妇女喜欢戴圈圈帽,在脸颊旁边点一簇三角形的胭脂。冬天,有的女子用白狐皮镶袖口衣缘作出锋,非常华丽漂亮。汉代妇女常用黛石画眉,髻子向后梳成银锭式,向上梳的多加假发挽髻。唐朝妇女衣裙早期瘦而长,裙系在胸上,发髻向上高耸,发间插些小梳子,多在眉心贴星点,眉旁各画一弯月牙。这时,中原一带的妇女喜欢穿西域服装,穿翻领小袖上衣,条纹裤,软绵蛮鞋,当时还流行一种半截袖子的短外褂。宋代妇女的发髻和花冠都很大,发上插的梳子有大到一尺二寸的。贵族妇女的便服时兴瘦长,流行在裙子外面罩上对襟大衣,衣服色调鲜明,上面有生动的折枝花样。女真妇女穿小袖左衽长衫,腰身小,下摆大,腰间系根丝带,戴尖顶锦帽,脑后垂两根带子。党项妇女穿绣花翻领长袍。后来北方政权采用汉代服制,南北差别日益减少。元代贵族妇女出门必戴姑姑冠,冠用青红绒锦做成,上缀珠玉,高约一尺,向前耸立。平民妇女或奴婢梳顶心髻,穿黑褐色粗布、绢合领左衽袍子。明代妇女平时在家,常戴遮眉勒条,冬天出门戴皮风帽,女子有穿长马甲的。清代康熙、雍正年间衣服还近明代,平民妇女时兴小袖、小云肩;乾隆以后,袖口日宽,有的肥大到一尺多,衣服渐渐变宽变短。晚清时,妇女上衣衣领高到一寸以上。

　　中国古代正史《五行志》保存了各时代的一些服饰资料,史家认为这些服饰是不合制度的,在这些妆饰流行之后社会发生了悲剧性事件,于是史家将这些妆饰和悲剧性事件结合在一起,这些流行妆饰将阐释成悲剧性预言。因为这一关联,中国古代正史倒保存了一些妆饰流行的材料。《后汉书·五行志》"服妖"下记载,桓帝元嘉(151－152)中,妇女曾流行画细而曲折的愁眉,下眼线画得较浓像啼哭的样子,叫啼妆;挽的髻向一边倾斜,称堕马髻;走路流行折腰步,像牙痛那样地笑,称为"龋齿笑"。据说这种流行从大将军梁冀家开始,先是在洛阳,后来风行全国。桓帝延熹(158－166)中,洛阳长者流行穿木屐,妇女出嫁时,都用漆画五彩做木屐的系带。又据记载,汉献帝建安中,妇女中流行上衣很短裙子很长的上下搭配。

　　《宋书·五行志》记载三国时东吴妇女流行的发型是:将头发束起来,削其角过于耳。西晋时,妇女流行非常平缓的束发,发髻不是立起来,而是披覆在前额,甚至将眉毛挡住一直覆盖到接近眼睛的位置。这时还流行方头鞋。元康(291－299)年间,妇女曾流行穿大裆裤,前后裆大到可以拖到大腿上。

　　《新唐书·五行志》载,唐初宫人骑马,戴上幂篱,幂篱从北周时就已经定型,先用藤、毡等制成笠,或裱上缯帛,或刷桐油防雨,然后从檐上垂下整幅纱帛将全身笼罩起来。高宗永徽(650－655)后,换成用帷帽施裙遮挡到脖颈,稍微浅露。

唐寅《吹箫仕女图》

神龙(705—706)末年以后,就不再有遮掩的幂篱了。唐代自玄宗天宝(743—755)初,贵族和平民妇女都开始流行穿胡服,戴胡帽,妇女簪步摇钗,衣服的衿袖都趋于窄小。元和(806—819)末年,妇女流行圆鬟椎髻,不加鬟饰,也不施朱粉,只是嘴唇涂上乌黑的唇膏。唐僖宗(874—888)时,宫中人束发极急,成都妇女流行这一发式。唐末,长安妇女流行琉璃做的钗钏。

《宋史·五行志》记载蜀孟昶末年,蜀地妇女流行高髻,叫做"朝天髻"。北宋淳化三年(992),京师里巷妇人竞相剪黑光纸团靥,又装饰雕镂鱼腮中骨,号"鱼媚子",来妆饰面部。宣和(1119—1124)末年,妇人服饰多用翠羽装饰。绍兴二十三年(1153),士庶家竞相以胎鹿皮做妇女冠。绍熙元年(1190),里巷妇女流行戴琉璃首饰。理宗朝,宫妃系前后掩裙,长到拖地,名"赶上裙";梳高髻于顶叫"不走落";束足纤直,名"快上马";粉点眼角叫"泪妆"。

《明史》记载,正德元年(1506),妇女多用珠子结盖头,称"缨络"。京师女子宴会出游喜欢到当铺租借蟒服,乘车去掉遮蔽车身的竹席,车在路上不避官府喝道。妇女穿着文龙灿然,常被误以为是命妇。

古代妇女的饰物

《孔雀东南飞》中这样描绘被遣还家当日精心打扮过的兰芝:"新妇起严妆,著我绣夹裙,事事四五通,足下蹑丝履,头上玳瑁光。腰若流纨素,耳著明月珰。"曹植在《美女篇》中描绘采桑妇女佩戴的饰物:"攘袖见素手,皓腕约金环。头上金爵钗,腰佩翠琅玕。明珠交玉体,珊瑚间木难。"梁简文帝有诗写两位美人,她们戴了头饰("同安鬟里拨"),用黄粉在前额或额头上画了不同的装饰性图形("异作额间黄",文身),她们穿的罗衣前后衣襟细简收身("罗裾宜细简"),她们的鞋子画上了彩画,鞋底很高("画屧重高墙",恨天高)。这些文学描写中涉及妇女的发饰(金爵钗,头上玳瑁光)、耳饰(明月珰)、手镯(金环)、身体配饰(琅玕、珠、珊瑚、木难制作的),还有文身,时装(包括服装和鞋袜)等。

中国古代妇女的常见发饰是笄,秦汉以后"笄"改称为"簪",而钗是簪的变体,双股或多股的簪就是钗,簪钗下坠垂饰就叫"步摇"。笄,河北磁山新石器时代遗址中就有大量的发现,安阳殷墟五号墓殷君武丁妻子妇好墓中,随葬精美玉笄二十多件,雕花骨笄近五百件,这些可以确定全是妇女头饰。笄作为实用兼装饰的盘髻、束发工具,存在于中国古代所有女性的生活中。富者用金,一般用银质;贫者用铜,甚至用荆条、竹木制造。比如《太平御览》卷七一八引刘向的《列女传》语,称"梁鸿妻孟光,荆钗布裙"。《孔雀东南飞》中所写的是玳瑁簪或钗,似乎古代玳瑁簪也是常见的。长沙马王堆一号汉墓出土的侯王夫人头饰中,就有一支长 24 厘米的玳瑁簪。曹植诗中有上端制成雀形的钗,所谓"头上金爵(雀)簪"。自周公制礼,笄一直作为仪式和表达身份的工具。如《仪礼·士婚礼》《礼记·内则》中都有女子"十有五年笄而字之"的说法,即将笄与女性的成人礼联系在一起。《新唐书·车服志》记载,一品命妇花钗九树,二品命妇花钗八树,三品命妇花钗七树,四品命妇花钗六树,五品则花钗五树。明洪武年间也有类似的规定。所以一些笄、簪、钗也是身份的标志。

《孔雀东南飞》说兰芝"耳著明月珰",傅玄的《艳歌行》也有"耳系明月珰"句,可见古代妇女有耳饰。《后汉书·舆服志》记载太皇太后、皇太后服装时,在"簪珥"后解释"珥"是"耳珰垂珠也"。但这里的珥是簪的一部分,《后汉书》说太后们的簪是用玳瑁做擿(类似于篦子,有密齿),长一尺,顶端有花胜,上面有凤凰等鸟雀,用翡翠做鸟雀的毛羽,下面有白珠,因为珠子正好在耳边,所以说"耳珰垂珠"。东汉末刘熙的《释名》中说"穿耳施珠曰珰",可见这里佩戴的珰是耳饰。这种珰是需要打耳洞来戴的,这一点可从《三国志·吴志》中的诸葛恪语得到证实。诸葛恪说:"母之于女,恩爱至矣,穿耳附珠,何伤于仁。"可见古代女儿幼时会打耳洞,这个行为是由母亲主导和实施的,从诸葛恪的这句话也可以看出,打耳洞会给女儿带来暂时的痛苦,但对女儿的将来有利,因此诸葛恪说表面看起来似乎是做伤害女儿的事,但恰好证明母亲是真正的仁爱,也就是说三国时人已将打耳洞与女性的美丽联系在一起。这和之后为幼女裹足的说辞有相似性。

曹植通过美女的抬手采桑,让我们看到她洁白的手腕上戴的手镯:金环。《太平御览》卷七一八说:"环臂谓之钏。"明代陆容在《菽园杂记》卷八中说:"今人名臂环谓镯,音浊,盖方言也。"如此看来,似乎腕钏、臂环、手镯都是今天所说的手镯类饰物。古人爱写手镯发出响声。如唐太宗徐贤妃的《赋得北方有佳人》中有"腕摇金钏响,步转玉环鸣"。唐陈述的《叹美人照镜》诗云:"衫分两处彩,钏响一边声。"这提示我们古人胳膊上应该不止戴一只手镯。《红楼梦》第七十七回宝玉去探望病重的晴雯,只见她已骨瘦如柴,腕上犹戴着四个银镯。

姿容与风度

中国古代妇女化妆、穿漂亮的流行服装、戴饰物是一种美,而不化妆、不戴饰物也未必不美,尤其是天生丽质的女性。《汉武故事》说汉武帝起明光宫,征召两千燕赵美女在宫中,但他挑选的每天跟他同车的 16 位美女却都是天然的美女,不施粉白黛黑。《洛神赋》赞美洛神"芳泽无加,铅华弗御"。《赵飞燕外传》中铺叙了赵飞燕用来沐浴的众多香料,然而汉成帝说"后(赵飞燕)虽有异香,不若婕妤(赵飞燕妹妹合德)体自香"。

不过,不化妆胜过化妆的天生丽质的美人毕竟少数,中国古代自有一套激励广大女性追求美、达到美的行之有效的思想和方法。班昭在《女诫》中指出:妇德,不是说女性必须才明绝异;妇言,不是伶牙俐齿;妇容,不是女性必须颜色美丽;妇功,不是说手工必须工巧过人。一个女性基于自己的努力,做到自己可以达到的清闲贞静,行己有耻,动静有法,就是妇德;一位女性在自己应该说话的时候,说得体的优雅的话就是妇言;同样,一位女性按时洗头、洗澡,身体干干净净,衣服干干净净,就是妇容;女性勤劳,做好自己分内的事情就是妇功。班昭排除了才明绝异、颜色美丽、工巧过人等需要先天禀赋的方面,智慧地指出任何妇女都能得到妇容。

妇容首先来自于女性的内修其德,内在的涵养外发为气质,就产生无法忽视的甚至是震慑人的力量。《后汉书》有关后妃的纪传中写汉明帝马皇后所穿衣服,布料既不精良,做工也不考究，常常穿着粗糙厚实的大练，裙子边都不缘，但在初一、十五等后宫众人聚集的日子里，袍衣粗疏的马后站在其中，却让人觉得她衣着华贵，气质不群。众人以为她穿着绫罗绸缎，真的走近看，不过是粗疏的缯布，大家禁不住好奇、发笑。马皇后的气质让她穿什么都卓尔不群，但与天生丽质的美又有不同，多了一份从容、大气、悠远。范晔写马皇后身体条件、穿衣风格的行文次序非常有意思，他说："既正位宫闱，愈自谦肃。身长七尺二寸，方口，美发。能诵《易》，好读《春秋》《楚辞》，尤善《周官》《董仲舒书》。常衣大练，裙不加缘。朔望诸姬主朝请，望见后袍衣疏粗，反以为绮縠，就视，乃笑。后辞曰：'此缯特宜染色，故用之耳。'六宫莫不叹息。"在马皇后的谦逊、整肃之后，写她的身高、口型和头发，然后转到她的读书兴趣、学问擅长，谈完读书之后，写马皇后的穿衣风格和独特的气质效果。马皇后穿的衣服布料不精细，样式简单，颜色朴素，她说选择这一布料是因为它极易染色，也就是现在还没来得及染色，将来会染色的，所以虽然自己穿得素，众人穿得鲜艳也就不是过错，甚至彩色衣裳才是穿衣的正确方向。范晔此段或许想表达的是：一个人的气质、涵养决定了一个人外在服饰的品位，而谦逊、善解人意是人气质、涵养的由来。《后汉书》也赞美了和帝邓皇后，每有宴会，诸姬都竞赛般地修整，"簪饵光采，褂裳鲜明"，而邓后独穿素色衣服，不戴任何配饰，但就是能够"绝异于众"。

《世说新语》的《贤媛》篇也有两则女性以气质产生力量的记事。一个是贾充前妻李氏，魏中书令李丰的女儿。在司马懿和曹爽争权过程中，李丰着意于曹爽。曹爽被杀后，李丰谋求武力铲除司马懿，失败后被杀。李氏已是出嫁女，但也受到牵连，被勒令离婚并被流放，贾充很快续娶了郭氏。后来李氏遇赦回京，晋武帝特令贾充置左右夫人，李氏不愿意住在贾府,于是住在别馆。郭氏对贾充说她要去探望李氏,贾充劝阻说,李氏非常刚介,又有才气,你不如不去。郭氏于是想借助于自己的富贵威仪取胜,她打扮得特别华贵,还带着一众侍婢,以壮声势。郭氏刚进李氏大门,李氏赶紧站起迎接,李氏的举动震慑住了郭氏,郭氏竟然不知不觉地对着李氏跪了下来。李氏的品格和才气,支撑了她外在的从容和气度,产生了逼人的力量,使郭氏外在的美丽及威仪瞬间失去力量和光芒。第二个例子是李势之妹的故事。李氏是十六国的成汉最后一个皇帝李势的妹妹,公元 347 年,东晋大司马桓温率军讨伐李势,李势兵败投降,桓温将李势及其亲族十多人带回建康。桓温本来已娶明帝女儿南康公主,但他见李氏貌美,就又偷偷纳李氏为妾。南康公主后来得知李氏的存在,非常愤怒,带着刀率领数十名婢女去找李氏。《世说新语》写南康公主杀气腾腾地来到时,李氏正在梳头,长发一直拖到地上,皮肤极好,如玉般光洁发亮。最重要的是,面对南康公主的阵势,李氏脸色不变,缓缓地说道:"我国破家亡,不知不觉地处于这样尴尬的境地,今天如能被杀,这正是我希望的。"南康公主忽然觉得非常惭愧,不知不觉地后退。李氏的天生丽质固然起了作用,但起更大作用的应该是她的内涵,她对故国的态度使她深沉,对自我的安危坦然面对的从容。争宠的南康公主一下子失去了竞争对手并深感争宠一事的渺小,这也许是她惭愧而退的原因吧。《世说新语》的《贤媛》篇中,济尼将谢道韫和张氏妹的美分为两种类型:前者神情散朗,故有林下风气;后者清心玉映,自是闺房之秀。清心玉映与身体、妆饰有关,神情散朗则已超越身体,无关物质了。

女性笔下的美和性感

　　妇女对自己美丽与否是敏感的,包括容貌、身材、穿戴和配饰等等,所以李清照在回忆美好的过去时,会想到衣服、穿戴的美丽。她说"旧时天气旧时衣","中州盛日,闺门多暇,记得偏重三五。铺翠冠儿,捻金雪柳,簇带争济楚"。她对憔悴的容颜和双鬓白发感到自卑,会说"如今憔悴,风鬟霜鬓,怕见夜间出去。不如向帘儿底下,听人笑语"。那么女性对女性容貌、身材之美的标准是怎样的呢? 我们用明代沈宜修、叶小鸾母女的文学作品为例作些讨论。

　　沈宜修常常怜爱地看着自己美丽的小女儿叶小鸾,她这样描绘自己的女儿:头发又黑又密,光洁的额头,修长的眉毛,如玉般洁白的面颊,红唇皓齿,鼻子端直,娇媚的笑靥,明亮的眸子灵动活泼。沈宜修的女性美标准与上文所述的自《诗经》"硕人"至汉晋以来的美女标准并无不同,但接着沈宜修用较多的篇幅来将女儿的美与娇艳区别开来。她说女儿虽然秀色可餐,但却没有一点妖艳之态,毫无脂粉之气。她拿梅花跟女儿比较,觉得梅花太瘦;拿海棠作比较,又觉得海棠缺少清雅的韵味。所以,从外表看,女儿可以说是丰丽的,但骨子里逸韵风生。如果因此说她是有韵致的人,则又觉得有韵致不免显得轻佻,实际上又非常端庄靓丽,总之女儿的美兼具王夫人谢道韫的林下之风和顾家妇张氏妹的闺房之秀。可见大家闺秀在谈论女性美时,有意识地将身体的美与娇艳加以区分,强调女性美的端庄以避免轻佻,这似乎与男性书写女性美有所不同。

157

叶小鸾曾作《拟连珠》，分别咏及女性的发、眉、唇、手、腰、足、全身，这既是叶小鸾对中国古代文学作品中吟咏女性美的总结，也有她对女性美的个人理解。其中最大的特点就是赞美自然美：头发"光可鉴人"但"非兰膏所泽"，"鬘余绕匝，岂由膏沐而然"；眉也要"簇黛由是自美"；唇是自然颜色，"菡萏生华，无烦的绛，樱桃比艳，岂待加殷"；全身也是不尚装饰的。叶小鸾本人就有不待装饰的天生丽质，沈宜修回忆一天早晨女儿脸未洗、头未梳地站在自己的床前，她说女儿粗服乱头却亭亭玉立，风神韵致，无人能比。至于女儿动起来更是惊艳，所谓"笑笑生芳，步步移妍"。

虽然叶小鸾天生丽质，但对家人赞美她的容貌却表现出发自内心的不悦，特别是来自父亲和舅舅等男性的赞美。当父亲叶绍袁称赞她有"倾国之姿"时，叶小鸾发怒道："女子倾城之色，何所取贵？"她否定女子当以色为贵，认为女性的价值来自于别的方面，这与魏晋荀粲所说的"女以色为主"恰恰相反。

沈宜修、叶小鸾母女曾经近距离地观察破瓜之年的婢女随春，描绘其娇羞中带着的性感。虽然叶氏三个女儿也正当妙年，叶纨纨结婚不久，叶小鸾将要结婚，但对结婚和性之于女性的改变，对这些大家闺秀来说似是禁区，却不妨碍她们对婢女随春的观察。叶氏母女同题共作，书写随春因怀春和性而呈现出的美。沈宜修在《浣溪沙》序交代她们这批文学作品的创作缘起："侍女随春，破瓜时善作娇憨之态，诸女咏之，余亦戏作。"沈宜修的两首《浣溪沙》写到此时随春的衣服、神态、动作、说话语气和眼波等。随春的上衣是显现身材的蔚蓝衫子，衬托出柔软的腰身，翠绿的裙子下是粉色的云屏鞋，绿发如云，鬟髻轻盈，面色微红，神态含羞带愁，娇语莺莺，眼光流动，低觑他人等等。叶小鸾观察到的随春，是轻盈而又不胜力的体态,娇羞含情的眼神,微红的脸色,低回、斜倚的姿态,含嗔带愁,娇语莺莺。叶纨纨笔下的随春,轻描翠黛,柳腰袅娜,斜倚着如不胜春风,细语娇嗔,芳心自恼。这些大家闺秀不愿意表露自己的性感,但通过观察、书写婢女表露出她们对性感美的认知和欣赏。

原典选读

(明)叶小鸾《拟连珠》九首(选八)

刘孝绰有《艳体连珠》,戏拟为之

发

盖闻光可鉴人,谅非兰膏所泽;鬐余绕匝,岂由脂沐而然。故艳陆离些,曼鬋称矣。不屑髢也,如云美焉。是以琼树之轻蝉,终擅魏主之宠;蜀女之委地,能回桓妇之怜。

眉

盖闻吴国佳人,簇黛由来自美;梁家妖艳,愁妆未是天然。故独写春山,入锦江而望远;双描斜月,对宝镜而增妍。是以楚女称其翠羽,陈王赋其联娟。

目

盖闻含娇起艳,乍微略而遗光;流视扬清,若将澜而讵滴。故李称绝世,一顾倾城;杨著回波,六宫无色。是以咏曼睩于楚臣,赋美眄于卫国。

唇

盖闻菡萏生华,无烦的绛;樱桃比艳,岂待加殷。故袅袅余歌,动清声而红绽;盈盈欲语,露皓齿而丹分。是以兰气难同,妙传神女之赋;凝朱不异,独著捣素之文。

手

盖闻似春笋之初萌,映齐纨而无别;如秋兰之始苗,傍荆璧而生疑。故陌上采桑,金环时露;机中织素,罗袖恒持。是以秀若裁冰,抚瑶琴而上下;纤如削月,按玉管而参差。

腰

盖闻玉佩翩珊,恍若随风欲折;舞裙旖旎,乍疑飘雪余香。故江女来游,逞罗衣之宜窄;明妃去国,嗟绣带之偏长。是以楚殿争纤,最怜巫峡;汉宫竞细,独让昭阳。

足

盖闻步步生莲,曳长裙而难见;纤纤玉趾,印芳尘而乍留。故素縠蹁跹,恒如新月;轻罗婉约,半蹙琼钩。是以遗袜马嵬,明皇增悼;凌波洛浦,子建生愁。

全身

盖闻影落池中,波惊容之如画;步来帘下,春讶花之不芳。故秀色堪餐,非铅华之可饰;愁容益倩,岂粉泽之能妆?是以蓉晕双颐,笑生媚靥;梅飘五出,艳发含章。(叶小鸾《返生香》)

(明)沈宜修《浣溪沙》

侍女随春,破瓜时善作娇憨之态,诸女咏之,余亦戏作。

其一

袖惹飞烟绿鬓轻。翠裙拖出粉云屏。飘残柳絮未知情。

千唤懒回伴看蝶,半含娇语恰如莺。嗔人无赖恼秦筝。

其二

春满帘栊不耐愁。蔚蓝衫子趁身柔。楚台风月那堪留。

画扇半遮微酡面,薄鬟推掠只低头。觑人偷自溜双眸。

（沈宜修《鹂吹集》）

(明)叶纨纨《浣溪沙》

同两妹戏赠母婢随春

杨柳风初缕缕轻。晓妆无力倚云屏。帘前草色最关情。
欲折花枝嗔舞蝶,半回春梦恼啼莺。日长深院理秦筝。

《浣溪沙》 与妹同韵,妹以未尽,更作再赠

翠黛轻描桂叶新。柳腰袅娜袜生尘。风前斜立不胜春。
细语娇声羞见婿,清眸粉面惯嗔人。无端长自恼芳心。

（叶纨纨《愁言集》）

私人记述中的古代妇女生平

中国古代有书写女性传记的传统,最早、最集中的要算刘向的《列女传》了。《列女传》篇一到篇六,一共为93位典范女性作传,篇七为作为反面教材的16位女性作传,这开启了中国古代按照特定美德书写女性的"列女传"式书写模式。因为这些书写后来一般出现在正史、地方志中,我们姑且称之为官方书写。与这类书写并列的是私人传记,主要有家庭成员、亲密友人或者非官方请定的私人学者为女性所写的传记、墓志、悼词、殡葬文章等。中国古代女性传记材料相当丰富,虽然书写方式上有类型化的倾向,但仔细读来依然是一个个鲜活的个体。这里我们避开官方传记材料和名人传记,排除早夭的女婴、少女,虽然对幼女、少女的哀悼之作,不乏曹植的《金瓠哀辞》《行女哀辞》、潘岳的《为任子咸妻作孤女泽兰哀辞》、归有光的《寒花葬志》等名篇。我主要选择一生中经历过为女、为妻、为母身份的普通女性,借以管窥中国古代普通妇女的多样人生,她们的喜怒哀乐,她们的为人处世,并顾及传记作者身份的多样性。比如丈夫、儿子为自己的妻子、母亲作传,还有一般亲属关系抑或只是受人之托的作者等,以见书写者的主体性差异。最后将各以一例略说妓女和宗教女性的人生。

胡慧觉：两宋之交的“无一愧者”

　　胡慧觉(1116—1183)，字悟贞，无为(今安徽无为)人，父亲胡赟曾为黄州别驾，慧觉是家中长女。胡慧觉的传记出自她丈夫的外甥袁说友之手，是她临终前嘱咐儿子们让这位外甥为自己写传记的，也就是说胡慧觉圈定了自己的传记作家。传记说胡慧觉颇为早慧，虽 4 岁丧母，但已能知道思念母亲。童年时，看到别的孩子与母亲亲热嬉戏，就忍不住哭泣。因为母亲早逝，胡慧觉向母亲尽孝报恩的方式就是一生没有一天忘记为母亲祈求冥福。在南北宋之交动荡的年代，家乡无为遭遇盗匪，此时慧觉父亲在宁国任职，慧觉也只是一位十五六岁的未出嫁的女儿，但她毅然号召族人一起避地逃难，一族人因此获全，大家都认为这是慧觉的功劳。父亲因此十分信任敬重自己的这位大女儿，十分苛刻地想挑选能与女儿般配的女婿。23岁时,她最终嫁给了平江魏泉使公。慧觉嫁入魏家时,婆婆年事已高,慧觉将照顾婆婆看作是最大的家事。丈夫是读书人,不会生产经营,一生奔波于场屋40年,虽然偶尔谋到一点差事,拿到一些薪俸,但总共加起来也不满万钱。慧觉与丈夫的约定是,无论如何,要让婆婆穿得轻暖,食而有肉,为此慧觉常常典当自己的衣服首饰。婆婆已八十高龄,常有些小病小恙,慧觉煎药自尝,然后送给婆婆,晚年的婆婆寿考康宁,幸福地走到生命的尽头。所有人都认为是慧觉孝敬的缘故。胡慧觉生有四子一女,婆婆去世后,两个儿子也到了参加科举的年龄,慧觉希望两个儿子能代父亲实现科场获捷的愿望,她对两个儿子说:家事我来管,家庭开支我来想办法,你们跟着老师好好学习就行了。只要听说有好老师,哪怕学费贵,她也不惜从家庭开支中节省出来。因为母亲教导有方,几个孩子立志向学,进步神速,几年内,魏炎、魏揆兄弟一个考进太学,一个乡试成功。最后魏泉使公官至朝奉郎,夫人获封"安人"。不久泉使公去世,夫人带着全家回到平江。这时儿子们也已娶妻生子,慧觉也成了婆婆,她决定将家庭之事转交晚辈,从此不问家事,潜心翻译佛典,对佛教义理多有自己的见解。1182年春,慧觉对家人说想去看望旁郡的亲戚们。儿子们侍母上路,慧觉拜访了锡山、阳羡等地亲戚,回来后不久就得了心脾疾,两个儿子朝夕奉汤药。1182年6月20日,她将儿孙都招至病榻前,回顾了自己68岁的人生,特别对自己45年为魏家妇作了总结:"自视闺阃之事,或无一愧者!"她以万物有生就有死的道理安慰晚辈,然后安然而逝。

袁说友所写的舅母胡慧觉永远坚定、优雅地做自己应该做的事情。虽然幼而失母,却能恭而自立;长而为妇,又能贫以起家;教育孩子,都能成立;当儿辈长大后,能适时地、毅然地传递家庭的责任；面对疾病和死亡一如既往的优雅、从容，与自己的亲友、儿女作优雅的告别，也对自己的一生作优雅的总结。无愧于一切，是中国古代不少妇女一生的追求，对于慧觉看似平凡的追求，举重若轻的行事方式，传记作家的评价是"男子所甚难者，而夫人行之一无难焉，是可敬而可仰也"。这位妻子和母亲，不仅是家族、家庭的"定海神针"，也是中国古代社会家庭中的灵魂式人物。中国古代社会是男性社会，但家庭的灵魂往往是女性，胡慧觉就是其中平凡而伟大的代表。

董金的焦虑

　　1518 年,弘治四杰、"前七子"之一的边贡(1476—1532)为母亲董金(1453—1517)写了一篇行状,文中细致地描绘了父母订婚的细节、母亲对家庭的照顾、不得抱孙的焦虑以及对母亲不得"恭人"之封的遗憾。

　　董氏,历城人,父亲董杰曾为永济驿驿丞,以义气豪于里中,与边贡祖父边宁交好。一次,边宁摆酒宴客,董杰也在其中。当时边贡父亲边节才三四岁,在席旁玩耍,非常可爱,董杰将孩子抱坐在自己的膝上,逗孩子玩,让孩子叫自己舅舅,孩子"舅舅""舅舅"地叫个不停,董杰又逗孩子说,我叫你外甥,你就答应,孩子就一个劲地答应着,逗得席中人都哈哈大笑。在这一欢乐气氛中,大家举杯向边宁、董杰道贺,说这是天定姻缘。于是两人将长衫衣襟结在一起,用佩刀割断衣襟,发誓从今以后永同心结,否则如这被割断的衣襟。两人就这样成了儿女亲家,这时边节才三四岁,董氏才刚出生不久。第二天,董杰之妻得知此事,非常生气,责备丈夫不该这么早就给女儿说定亲事,董杰否认是因为醉酒才妄将女儿许人,而且坚定地指出即使是醉而许亲也不会食言。

　　董氏 17 岁(1478)嫁到边家,婚后三个月,边宁遗失了数百金,无论如何也找不到。边宁说,我得到贤惠的新媳妇,何止值数百金! 可见虽然才过门三个月,董氏已得到了公婆的喜爱,由此她得到了一个新名字"董金"。董金婆婆是王夫人,婆婆的婆婆是万夫人。董金嫁过来时,万夫人年事已高,性子很急,十分易怒,因为双目失明,生活不能自理,渐渐地凡事都开始依赖这个新孙媳妇。她走路，别的人搀扶她就不高兴，孙媳妇搀扶她就高兴；孙媳妇做的饭菜，她就爱吃，吃得也多，还赞美饭菜可口，如果有人将别人烹制的饭菜说成是孙媳妇做的，万夫人也不会上当，她坚信自己有舌头、有鼻子，这时她会生气地大骂，摔掉这些饭菜。之后不管是公公还是婆婆生病，都是董氏包办饭菜，服侍生活，她成了边家最好的厨师和最佳的照料者，因此得到丈夫极大的敬重。她也是这样照料丈夫的，只是不像服侍长辈那样跪拜行礼而已。边贡认为她母亲有着出自天性的温婉、笃诚和勤恳。

王夫人只生了边贡父亲边节这一个儿子，所以将自己弟弟的一个儿子过继过来，董氏对这个过继来的小叔子很友善。后来小叔子娶妻，她对待弟媳也很好，兄弟和睦地共同生活了 15 年。后来边宁去世，边节 1486 年中举后，屡试不第，这时尚未做官，家道中落，小叔子请求离开边家。虽然兄弟共产，小叔子还是私自蓄藏了数百金。族中人挑唆董氏告发，董氏坚称这样会伤婆婆的心（1503 年，王夫人去世），绝口不提小叔子私蓄之事，让小叔子带着私蓄离开了边家。之后，董氏不惜财力让三个小姑子体面地出嫁。

董夫人对小叔、小姑不惜财，但自己却非常节俭，自己的内衣、中裙都是洗了又洗、补了又补。她从不穿华美的衣服，丈夫后来成了七品官，她受封"孺人"，她的命妇服只是在谢恩仪式上穿过，回来就压箱底了。遇到吉庆场合，儿子让母亲穿上命妇服，她就开玩笑地说：孺人只是小小七品官的母、妻，等到你将来做了大官，我得大封，我就穿。边贡在行状中沉痛地说：后来父亲做了知州（1506 年为代州知州，五品），依例母亲可以封"宜人"，但不久父亲就去世了。依我现在的官职（边贡 1496 年进士，此时任山西提学副使，四品），母亲可以晋封"恭人"，但母亲又去世了，一切都来不及了。

边贡回忆称,父亲临终前(1511),弟弟边赋还非常健康,父亲遗憾自己有生之年没能抱孙子。令人伤心的是,安葬父亲一年后,健壮的弟弟竟然去世了。丈夫、儿子的去世,令董氏十分痛苦,她常常哭泣,感慨万千,其中未能抱孙成了心病。她对边贡说:"你父亲做官晚,他常常遗憾他的母亲没能在有生之年看见自己的儿子做官,但你奶奶看到了她的两个孙子相继中进士,所以我不如你奶奶有福气。"说完,董氏又开始哭泣。不久,董氏就病了,她告诉边贡:我做了一个梦,梦到后面庭院的石榴树开花了,不久结了一个很大的果实,我想过去摘下果实,可是你父亲在旁边招手让我到他那儿去。董氏这样解自己的梦:现在你的妾怀孕了,我病了,我想我看不到你的孩子出生了。这是天意吗?之后董氏就进入弥留状态,其间苏醒过一次,她对儿子说:"我这个边氏的老寡妇,并不顾念这个世界,只是你还没有羽翼,我如何向你已去世的父亲、祖父母交代?"她痛惜老天让她失去了一个儿子,最后口念着"苦、苦"离开了人世。边贡说母亲是位伤心人。

其实,边、董两家都十分富有。董金1469年出嫁,很得婆家人的喜爱。就现在所知,1476年边贡出生,1486年,董氏的丈夫边节中举,1487年儿子边赋出生,其间也诞下女儿,1495年,边贡20岁中举,次年中进士。1506年,董氏的丈夫为代州知州,儿子是当时的风云人物,所以,依那个时代的标准,董氏的人生是圆满的。她的最大痛苦是一个儿子过早去世,无孙更是她的心病。仔细算来,董氏去世时,边贡已42岁,他成名甚早,没有继承人的时日确实够长,够折磨这对母子的。董氏去世时,边贡有妾怀孕,之后确实生了男婴,但这个孩子不久就夭折了。而儿子认为母亲最大的遗憾是没有得到她应该得到的更高的命妇封号。

两个周氏:多子所苦和终身求子的两种人生

两个周氏,都是明朝人,一个是归有光的母亲周桂(1488—1514),一个是沈鲤(1531—1615)的继妻。

归有光母亲周桂,弘治元年(1488)二月十一日生,昆山吴家桥人,周家是吴家桥的大财主。归有光(1507—1571)8岁丧母,他在结婚生女后怀想自己的母亲,写下了《先妣志略》。归有光是讲求时间精确的作者,他在文章最前面给出了母亲自16岁嫁到归家后的生育记录:16岁(1503)来归家,过了一年多,母亲18岁,生女淑静;过了一年多,母亲19岁,生下归有光;又过了一年多,生下一对龙凤胎,一个不久就死了,一个一岁而夭;又过了一年多,生下归有尚,这个孩子在母亲腹中待了12个月,十足的晚产儿;又过了一年多,生女儿淑顺,又过了一年生归有功。归有光接着写道,母亲在生了第七个孩子后,身体条件是最好的,"有功之生也,孺人比乳他子加健"。就身体来看,似乎是最健康的,但母亲的心理和精神方面出了问题,"数颦蹙",即常常皱眉叹息,用现在的话说,就是周氏得了产后忧郁症。她常常对婢女抱怨:"吾为多子苦。"一位老妪提供了一种避孕的偏方,在少年归有光眼里,就是一杯水中有两个田螺,老妪说喝了这种水,妇女就不会这样频繁地怀孕了。我们不知道这老妪是不是家中或里中的老年妇女,抑或是"三姑六婆"中的医婆、药婆之类。显然,周氏从老妪的话中看到了希望,仰其脖,一下子将偏方喝尽,喝过以后,周氏就不能讲话了,不久即去世,年仅27岁,留下五个嗷嗷待哺的孩子。

　　周氏出嫁后很快怀孕,接连生了七个孩子,在信奉多子多福的年代,可以看作是幸福的标志。周氏产下四个男孩,三个女孩,有男有女,性别均匀,分布合理。七个孩子中,两个夭折,五个存活,也高于中国古代婴儿的存活率,在这些方面周氏也是幸运的。归有光写到母亲家很有财力,而且对女儿婆家十分关照,过两天就派人给女儿送东西,问女儿婆家是否需要什么。所以在归有光的记忆中,家里人特别是小孩子们,没有不盼望吴家桥外公外婆家来人的,外婆家就是幼年归有光鱼蟹饼饵等美味的来源。周氏很勤劳,但她并不缺衣少食,她的勤劳出自天性、出自美德,不是出自生活所需,按道理来说,比真正生活无着的家庭主妇的精神压力相对要小一点。而且就周氏的生育频率来看,实际上她不必亲自哺乳,归有光在他的《项脊轩志》中写道,他祖母的婢女在他家哺乳了两代人,可能周氏也未必需要每夜推干就湿地照料孩子。可见官宦、读书人家、有财力人家的妇女也"为多子所苦",更不用说不得不自己哺育、照料孩子,甚至缺衣少食人家的妇女了。

　　与之相反,中国古代也有很多为无子所苦的妇女,有的终身求子,即使是富贵之家,也难逃无子的烦恼,最典型的可能要数明代位极人臣的贤相沈鲤的妻子周氏。沈德符的《万历野获编》将沈鲤夫人当作一个笑话来讲。他说商邱沈龙江大宗伯沈鲤苦于没有子嗣,他的门人、相知者们都想让他纳妾什么的,于是就想去劝沈鲤夫人。这些人刚进沈鲤家门,就看见许多医生正在沈鲤家中虔诚地配药,门人、相知者问沈公这是配什么药,沈鲤说是为我老妻调理月经有助于怀孕的药,因此众人劝沈公纳妾的话就没有办法说出口了。沈德符说当时沈夫人已是过了 60 岁往 70 岁上奔的老妪,是不可能生子的,因此他将沈夫人归入"富贵人坐妒妇斩嗣者"中执迷不悟的妒妇一类，他还顺带批评了支持母亲求子的沈鲤的女儿，说这个女儿想独占家产，所以助纣为虐。撇开沈德符的道德批评，有一点是很清楚的，就是沈夫人一直在求子，直到老年生子无望的时刻还在通过药物延长生育年龄，作着怀孕的努力，至老不辍。

沈鲤的这个夫人姓周，从明代万历年间的诰命可以看出来，周氏是沈鲤的继妻，是沈鲤在第一个妻子去世后续娶的，她应该比沈鲤年轻一些。周氏并非不孕，只是没有生男孩，沈鲤与周氏育有两个女儿，大女儿生于 1566 年，沈鲤与夫人感情很好，沈德符也不得不承认"沈龙江相公清节，近世罕见，室无姬媵"。沈鲤虽然无子，但晚年很享受有女的时光，他的大女儿 18 岁出嫁，36 岁守寡，后来回家照顾父亲的生活起居，甚至为父亲打理一切。沈鲤说："余虽老且惫，不失礼于人；虽无子，而不知其苦者，咸吾女之以也。"可惜的是，大女儿后来似乎突然去世，沈鲤为女儿写了《孝女传》。沈德符批评的支持母亲求子的女儿应该是沈鲤的小女儿，嫁同郡鲁光禄伯玉。这个女儿据说生下来就多病，但从沈德符记事来看，她其实并未染指父亲的财产，但在父亲的继子人选上与族人有分歧。

悉心照料男性的妻子和情人

周氏(1478—1542),昆山人,嫁同县的沈引仁。沈引仁的祖父是当地名医王安道的女婿,得到王氏医术真传,从此沈家世传医术。沈引仁父亲早逝,周氏嫁过来时沈引仁还没什么医名,家有老母,生活贫窭。周氏孝养婆母,持家有方,丈夫也渐成名医,家庭经济渐渐宽裕起来。可是好景不长,沈引仁患了糖尿病,每日能吃一斗米饭、十斤肉,这样过了6年,沈引仁身体虚浮无力到了极点,已经无法行医了。失去丈夫行医的经济来源,家庭生活陷入困顿,周氏一方面昼夜劳作来维持家庭物质生活,一方面承担照顾病重丈夫的责任。糖尿病引发口腔并发症,沈引仁牙齿松动,最后全部脱落。归有光在《沈引仁妻周氏墓志铭》中描绘了一些细节,来显示妻子对丈夫无微不至的照料。因为牙齿脱落,丈夫不能咀嚼,周氏每顿都是嚼烂食物然后喂丈夫,即使是妇女忌食的食物,周氏也毫无难色。后来丈夫去世,周氏养大了孩子,还清了丈夫生病时欠下的债务。因孤儿寡母举债甚久,债主有的已经忘记,有的从来就不指望周氏还债,但周氏都记得清清楚楚,一笔一笔地偿还。墓志铭特别提到周氏在儿子们自立后,仍然勤劳不辍,她甚至购置好自己的棺木殓具,安排好自己的一切后事。儿子们问母亲,你什么都做了,让我们做什么呢?儿子们在母亲去世后真的只有表达伤心的份了。文章表现了一位勤劳自持,在经济和精神上都十分独立的妇女,她无疑是家庭的顶梁柱。归有光在文章最后又描写了这样一件事:沈引仁兄弟相处不好,哥哥常常为难沈引仁,一次哥哥趁酒劲骂到沈引仁家中，最后竟然上房揭瓦，嫂子赶紧到弟媳家道歉，承诺赔偿一切损失，于是两妯娌在两兄弟间周旋，最终使两兄弟和好。作者以暴戾的男性冲突和温和的女性补救对比，写女性在其间最终建构家庭人伦关系的和美，将女性塑造成维护家庭与社会的稳健、和谐的力量。

周氏照顾丈夫的事迹，令人想起越妓杜韦服侍情人范允谦的方式。范允谦（1549－1577），字牧之，范仲淹十七世裔孙、范允临长兄，是当时有名的美男子，又极其聪明，读书一目数行，其文千言立就，更有翩翩欲仙、不食人间烟火的气质。他18岁娶同县名族陆树德的女儿，22岁中举。二十四五岁时，范允谦父母相继去世，不久他结识了越妓杜韦，范、杜一见钟情，誓同生死，范公子遂金屋藏娇。估计范允谦的妻子、岳父是以女婿"父母丧中纳妾"罪将他告上法庭的，郡守判范公子卖杜韦为商人妇，范公子佯卖而实收之，再藏别馆，然后相偕私奔远逃。1576年冬，范允谦携杜韦入京赴来年的会试，这时候的范公子已重病在身，估计是肺结核。沈德符的《万历野获编》记载了1577年春会试前夕，张凤翼去探望范允谦病时所见的情形。张凤翼说，他去探病时，杜韦也坐在病榻前，范公子不停地咳血，但已没有力气坐起来吐掉，杜韦就不停地用嘴去接痰，有时来不及吐掉，下口痰又来了，她就只好直接咽下去。他说，他知道范公子是活不久了，杜韦虽然韵致犹在，但脸色红赤（肺结核的早期症状吗？），憔悴得不像样子了。范公子请杜韦代他跟张凤翼交谈，杜韦请范公子不要说太多的话，以防伤神。张凤翼说，那时他就知道这两个人是不可能独活的。沈德符说张凤翼每次跟他说起这事，都忍不住流泪，"泪尚承睫"，而作为听者的他也忍不住"为之掩袂"。不久，范公子病死北京，范允临至北京迎丧，带着杜韦扶枢回吴。船过长江时，杜韦一只衣袖中绑着范公子日常用的砚台，另一只衣袖绑着公子常用的滇棋，跳江自沉，无论如何来不及救上来。

依沈德符的记事，杜韦的生命在她自沉后似乎并没有结束。沈德符说，有一次，他坐船渡江，正要往江中小便时，被船家赶忙制止。船家告诉他说，近日一位江西官员的船过这个水域，一个小男仆临江小解，忽然僵仆倒地，一直用吴语说：你是什么人，敢污染我的鬓发，我叫杜韦，游戏水府已经30年了，近日被你侮辱！官员十分吃惊，但不懂吴语，赶紧泊船靠岸，问故老，方知杜韦之事，官员拜祭后，小仆才恢复原状。

杜韦的生命不但进入了吴中文人的记事，也进入了吴地的民间传说。她本来被看作尤物，但她对范允谦无与伦比的照料使她成为贤妇。本来故事可以这样讲的：一个花样年华、前程远大的年轻人毁于妓女之手，现在成了伟大的爱情故事，薄幸变得庄重，浪子、妓女成了浪漫传奇中的男女主人公，其中不离不弃和无与伦比的照料成为关系质变的重要因素。

让归有光重新阐释《贞女论》的张贞女

　　明清有无数年轻女性为已故（或未故）未婚夫守节甚至殉节，对于这种做法，当时有很多争议，有拥护者也有反对者。反对者认为这种行为严重地违背了礼法，其中归有光的《贞女论》可以看作这一观点的代表作。在这篇颇为雄辩的文章中，归有光首先从婚姻之礼出发，认为一个女子在完成全部"六礼"、有夫婿亲迎和父母之命前，是不能登未婚夫家之堂的，否则就成了"私奔"。接着他引用《礼记·曾子问》中的一段话证明即使行了婚礼，但新娘没有在三个月后在家庙中向夫家已故祖先行庙见礼之前，也还是不属于夫家成员，不可以守节和殉节的。之后他进一步指出，女儿背弃父母愿望为未婚夫守节违反了礼仪，同时违背了阴阳和谐的宇宙自然法则，相反，另聘再嫁则符合礼仪和自然法则。

　　令人意外的是，之后归有光又给为未婚夫守贞的张贞女写了《张贞女贞节记》，简述了张贞女 54 年（1510－1563）的生命。张贞女是湖州归安人，祖父是都御史张廉（1432—?），父亲是瑞州通判，张贞女自小许配乌程严大临。严大临也出身名门，他的曾祖父曾任工部尚书。1528 年，严大临 19 岁，参加了浙江乡试，可惜不久患病，第二年病势转重。得知女婿病重，张贞女父亲经常过去诊视，回家也向女儿通报未来女婿的病情。得知未婚夫濒于不治，张贞女关上了闺门，将自己平时所制的嫁衣全部焚毁，坚称在她的生命中，这些衣物已经没有留着的必要了。严家听说张女的所言所行，就派一位老年妇女来看望，张女私下跟老妪表达了如果夫婿真的病死她一定要到严家过一辈子的决定。严家姑舅很感动,就派人到张家迎亲。张女父母非常吃惊,他们不同意女儿这样的选择,但是地方官从湖州知州到归安县令都认为张女的做法义薄云天,表示要大力支持,他们给张女父亲写信,劝张家成全女儿。这时严大临真的去世了,张女穿上丧服请求去哭未婚夫,但踏进严家门后决意不再回家。于是严家给张女过继了嗣子,张女养大嗣子,为之娶妇,不久嗣子去世了,于是张女与媳妇相守。这一年是 1563 年,张氏 54 岁,已经在严家守贞达 36 年之久,这时归有光为她写下了《张贞女贞节记》。

如果用归有光《贞女论》的说法,张女夫婿因为垂死于床,不可能亲迎其女;她也没有父母之命,就自登严氏之堂,是不合礼法的;她父母不愿意女儿做贞女,她违背了父母意愿……但面对这位守了 36 年的贞女,归有光如何忍心说她当初的行为是"私奔"? 如何能认定她 36 年的生命毫无意义? 不过归有光并没有改变他不鼓励贞女守节的立场,特别是对于未来可能的实践者,他在给张贞女写的记中再次重申了他在《贞女论》中的观念,然后对张贞女的"贞女"行为作了一番新阐释。他将人分为一般人和有高明之性者两种,他说他在《贞女论》中谈及的礼仪是引导一般人的,而张贞女属有高明之性者,因此他巧妙地将张贞女所作所为放置在一般人情之外,是"怪奇之行",是超出平常"贤圣者"的"过犹不及"的"过"行,也只有在社会风气需要拯救的社会,张贞女的行为或许才有道德和反思意义。这从一个角度说明贞女现象兴起的一个背景:人们对世道凉薄和道德下滑的焦虑。

明代嘉靖年间是对贞女旌表第一次激增的时期,归有光的《贞女论》和《张贞女贞节记》都作于这一时期,也充分表明了贞女产生的社会影响。从张贞女的故事,我们可以看到贞女本人、贞女父母、贞女公婆、地方官对于守贞诉求的不同反应。我们首先看到了贞女的主体性,如果她不焚烧嫁衣,她不放话嫁衣对她已没有意义,严家就不会派人来打探她的态度;如果贞女不对严家派来的老妪表态,严家就不会派人来迎接,所以严家不是贞女守节的发起人,更不是胁迫人,他们是接纳者,也是情感的被慰藉者,即儿媳在,就好像儿子没有离去,一切还是按照原来的节奏进行着:结婚、生子(立嗣)、传宗接代(嗣子结婚、婆媳相守,张氏为媳妇立嗣,以一种人为的方式延续宗族)。贞女所受的精英教育和阶级背景决定了她这样的选择,她觉得在婆家守节是她唯一的出路。这里情感上最痛苦是贞女的父母,文章没有多写父母的感情,但一个"难"字很能表现他们的矛盾和焦虑,守节不易,未来充满变数,张氏父母唯一的安慰大概是这个女儿还没有要自残、自杀。地方官的态度是最积极的,他们一定认为贞女行为是治下良好的社会风气的表现,也有助于推进忠诚节烈之风。此外,我们显而易见地看到了归有光这位学者对于贞女理论上的反对,但对贞女实践者感动和尊敬的矛盾态度。

妓女的生命归宿

王翠翘是明代一位极有音乐天赋的妓女,在江南很有乐名。传记说她有至性,"雅不喜媚客",特别不愿意与多金的大腹商贾交往,因而饱受鸨母笞骂。后来,她私下接受某少年的馈赠,脱离了鸨母,独自徙居海上,更名王翠翘,与海上文儒贵游交往,因其音乐而得缠头无数,但她尽数施舍给"所善贫客"。后来,倭寇犯江南,王翠翘逃难桐乡,桐乡城破,她被与倭寇有瓜葛的寨主徐海所得,因其音乐天才,徐海"绝爱幸之",让帐中诸姬罗拜翠翘,称翠翘为"王夫人"。于是翠翘利用自己对徐海的影响力,干预徐海的一切军事计划,但"阳昵之,阴实幸其败事,冀一归国以老"。她"日夜在帐中从容"游说徐海投降抗倭督府胡宗宪,督府诈称迎降,而麾兵斩徐海。之后,胡宗宪犒赏将士,令翠翘歌而遍行酒,胡宗宪酒酣心动,下阶与翠翘戏,夜深,席大乱。第二天酒醒,胡宗宪后悔前晚失态,但因翠翘功高,不忍杀,于是将翠翘赏赐给永顺酋长为妻。翠翘与永顺酋长离开钱塘途中,悒悒不乐,一方面为徐海"遇之厚,我以国事诱杀之"而内疚,一方面为"杀一酋而更属一酋"深感不值和受辱,遂夜半投水而死。

王翠翘的故事被反复讲述和书写,其情节更趋复杂,但王翠翘的节义道德形象却越发纯粹。《青泥莲花记》所引徐学谟的《王翠翘传》是较早的版本之一,其中包含更多复杂因素和意味。传记作者开头一直强调翠翘不是以性魅力而是以音乐才能成为名妓的,她不在乎金钱,与之交往者有富有贫,她收有余而施不足,她是均贫富小社会的缔造者。梅鼎祚给娼的定义是："倡以色为职而主利者也。"而王翠翘则完全反其道而行之，徐海与翠翘的关系也是建立在赏其音乐和爱敬之上的，直到胡宗宪的出现，翠翘的身份急转直下。在胡宗宪犒赏将士的宴会上，翠翘本应被犒赏，却被完全当作妓女看待，被要求"歌而遍行酒"，之后胡宗宪"酒酣心动"，如其他没能经得住诱惑（色诱说到底是酒不醉人人自醉）者一样失其守。于是，之前王翠翘及其记事一直规避的性的魅惑出现了，翠翘忽然成为媚客的尤物。第二天，胡宗宪因自己失守而后悔得要杀人灭口，但翠翘"功高"，华老人、罗中书都可为证，胡宗宪不能杀她，就将她赐给了一位东夷酋长。记事谈到翠翘之所以劝徐海不杀督府使者，是出于不愿意就这样老死海上的恋土之情，而最终她将无可选择地要老死海上。记事没有谈到翠翘对徐海被杀，自己被令行酒、与胡宗宪乱戏时的态度和感受，但从胡宗宪对待她的态度中，她认识到徐海才是真的尊重信任她。于是，她与徐海之间的知遇关系得以建立，因而产生了新的义务，也因此，翠翘在国事和个人知遇之间的忠义困境便出现了。而且，妓女可以通过忠于国事而改变命运吗？当她说"杀一酋而更属一酋"时，她对忠义救赎的可能性似乎已产生了怀疑。

徐学谟的《王翠翘传》以"外史氏曰"对翠翘事发表评论道："昔李陵陷虏，欲乘匈奴之间为汉内应，迄无成立，溃其家声。悲夫！翠翘以一贱娼，能审于顺逆，身陷不测，竟灭贼以报国，诚伟烈矣！太史公曰：'祸之生由爱姬殖。'则海之谓也，而翘之卒死以殉海，其或可附于堕楼之义也乎？"徐学谟从个人承担国家义务的角度肯定翠翘深明大义，建立灭贼报效国家的伟大功绩，但在徐海与翠翘之间，他指责徐海因爱女人而断送了自己的性命，而翠翘也难逃红颜祸水之讥。他又将翠翘的死理解成殉海，认为此举或可弥补翠翘导致徐海被杀的道德缺陷,也因此认为翠翘或许能附于石崇妾绿珠之后。梅鼎祚以"女史氏曰"对翠翘事以及徐学谟的评论发表看法说:"宗伯义翠翘以殉海,要其志专灭贼耳,不妇夷,生可也,余故置于忠义之介。督府大度人,握槊更衣,何足悔,而夷之,且安信赏哉!"梅鼎祚不认同徐学谟所云翠翘殉海的说法,认为翠翘的志向就在灭贼,假如不将她赐给永顺酋长,就不会有翠翘自杀的事。他认为胡宗宪本是大度人,就应好汉做事好汉当,不要乱性后因后悔羞愧而迁怒他人,胡宗宪竟然将翠翘赶至夷地,根本称不上有功必赏。梅鼎祚在忠臣受辱愤而自杀的意义上,将翠翘置于忠义之间,使翠翘散发出独立的人格精神。

宗教女性的一生

　　杜光庭的《墉城集仙录》收录了 10 位女仙的传记,其中王奉仙仿佛为宗教而生。王奉仙(约 836－886)是宣州当涂县人,家境贫寒,以纺织自给。她十三四岁的时候,有天去给田中劳作的父母送中饭,忽然有十几位少女来跟她嬉戏玩耍,众少女很久才散开,第二天也是如此。从此王奉仙每次到田中送饭,都与这些少女聚会嬉戏。过了一个多月,这些女孩夜里也会到王奉仙家里,她们整夜谈笑,到早上才散开。聚会时,她们会带上水果、点心,这些食物都非常精美,不像是世上所有之物。王奉仙住的房屋很小,来玩耍的女孩子很多,但一点也不会感觉拥挤。父母听到女儿房间的笑语声,便去偷窥,但什么也看不见,他们以为女儿遇到了妖魔鬼怪,就经常追问。从此,这些少女夜里就不来了,她们换成白天来,或者带王奉仙远游,有时凌空飞翔,可以无所不到。而王奉仙不吃不喝,容貌举止也发生了很大变化。有一天,母亲看见女儿从院子里的竹梢上落下来,非常担心,又盘问女儿。女儿于是告诉母亲所遇到的事情,但父母搞不清究竟是怎么回事。一天,众少女将王奉仙前面的头发剪成齐眉长,将后面的头发散开披至肩膀。从此以后,奉仙头发一直不长长,一直保持着这样发型。还有一个变化,就是虽然她不吃不喝,但肌肤却越来越丰满莹洁,肤色皎如白雪,明眸皓齿,貌若天人。王奉仙还聪明能辩,所以江南人都说王奉仙是观音。咸通末年,杜审权镇金陵、令狐绹镇扬州都曾供养王奉仙,王奉仙在江南名声甚大。之后,又有人请王奉仙到江都,那里的展师和尚礼敬王奉仙。当时一位正直的高士怀疑王奉仙不是观音，而是出自邪教，就拜访她，跟她谈道，想找出她的破绽。王奉仙与高士谈道数日，最后高士问王奉仙说：你所论玄理与道教甚合，为什么会被称为观音呢？奉仙说：我所遇见的是道，我所得到的是仙，但俗人不懂，加给我观音的称呼。几年前，杜审权在蓬窗茅屋之下找到我，想将我进献到宫中，因为我断发而免于被进献，但杜公不让我归家侍奉父母，让我留在寺中。没想到竟声名鹊起，甚至有人捧着香花宝烛来供养我，这样子已经过了一年，我都不知道我是不是观音了。今天因为你我终于明白了我的修养在什么方面，我不再被拘闭于佛教后庭中了。这次论道也让王奉仙明白了当初众少女帮她剪的头发实际上是道姑头。王奉仙还告诉高士，她当初随众少女所去的地方是天宫仙阙，所咏的是仙经洞章，所谈的是神仙长生度世之事，她曾在天上见到天尊，天尊告诉她她的谪仙身份，预言她在人世50年后会回归天庭。王奉仙又谈到她对道教、佛教和儒学的看法，她说道教天尊是行化于天上，教人以道，延人生育，主宰万物，覆育世人，就好比世人之父；释迦牟尼行化世上，劝人止恶，诱人求福，好比世人之母；孔子儒学，行于人间，教人五常，教人如何做事，好比世人之兄。从咸通至光启40年间，王奉仙在淮河流域和浙江地区传道，还曾回到家乡宣州等地，所到之处，观者云集。她讲道，常讲忠孝贞正，清净俭约，修身谨行，深受信众爱戴，信众的布施非常多，但她一毫不取。修身让她无惧淮水滔天巨浪，不怕四野腾烟，栖止自若。虽然一些强悍的男性拥众威捍，想以刀剑威逼她，但一看到王奉仙的面貌神态，都不觉折腰屈服，向她下拜，执弟子礼。最后，王奉仙带着两个女弟子入道，居洞庭山，光启年间迁余杭千顷山，当地人为她建立道观。一年多后，她无疾而终，时年48

岁。其终时,听说有云鹤出现,还有异香。这时,她不食人间食物已经 30 年,但依然童颜雪肌,犹如少女。

这是作为道士的杜光庭为王奉仙所写的仙传,撇开其中的自神其说的成分,我们可以看到王奉仙自少女时代就有的宗教情结,尽管在与高士谈论之前她对自己的宗教信仰的性质和派别并没有特别的义理上的自觉。她的道姑发型使她免于被进献宫中的命运,也可能因此使她免于结婚生子。她坚持的节食和苦苦修行使她更美丽。她的美丽让世人误以为她是观音,她被当作观音膜拜,最后她的道姑身份觉醒,于是进入自觉传教阶段,为此她不畏艰苦,奔波于浙江、淮河、宣州诸地,最终美丽地化去,成为天庭中道教女仙的侍从。

原典选读

(明)归有光《张母太安人寿序》

张母太安人之寡居也,其子秋官尚书郎甫七岁。家甚贫,不能自存,太安人辟纑以为食。旦遣就傅,夜则躬自督诵,母子共灯火,荧荧彻晓。太安人纑独精,售辄倍价。太安人亦自喜为之。常辟纑,无昼夜寒暑。以一女子持门户,备历百艰。如是者几年,秋官举进士,为主事。几年,有太安人之诰。又几年,致仕归养于家。又几年,为嘉靖二十年(1541),太安人年八十矣。于是膺命秩,又得其子之侍养,甘脆之珍,华绮之饰,无弗致者。乡里以为荣,而太安人敝衣厉食,辟纑自若也。秋官有小过,诟责之如年少时,谈者以太安人可以附于古之列女。(下略)(归有光《震川先生集》卷十四)

(宋)袁说友《惠夫人墓铭》

隆兴二年(1154)四月丁卯,琅邪惠氏归于建安袁某,越九年六月己亥以疾卒任所,淳熙二年(1191)七月乙酉葬于常之宜兴县君山乡青坞之原。呜呼!顾偕老其不能,而兹乃以铭君也,哀哉!君讳道素,常之湖洑人,进士萃之仲女。君生于良族,族诸老言君裁十岁知事父母敬,长而孝益谨。父尝有疽疾,君忧甚,不自省食息事,候伺亲侧,膳服药饵悉躬之。病未间,则焚香泣下,暮夜致祷,不知夕之竟也。居亡何,疾瘳,人谓孝敬之报宜如此。后十年而罹父丧,哭泣尽哀,课经文日数十卷,却荤茹,久不复见者,流涕异时。母氏多疾,君虑以忧毁甚,承意开释,听夕侍旁不肯去,时方有二岁子,盖弗遑顾也。或劝之,君曰:"吾母安,则吾有子矣。"明年,从某官都下居,既别母,虽一饮食弗置念,率旬余,辄一命介问,信仅不闻,则悸不自侠,信至乃少已。尝曰:"我归袁氏,不幸不克事舅姑,恨亡以为见,独奉家庙唯谨,奉祀孔时。"晨昏供香火,虽疾亦力往,凡诸事先者,一物悉至敬。君幼好内典,甫识字画,已能翻绎句读,未笄,通法华义,遇暇日,默诵一字不舛落。既长从某,而绘佛图,蓄经卷,往往甚于经纪家事,其持阅视前日益苦也。君有幽闲之德性,不嗜游观,日惟闻政,细大有节法,否则咄咄经典,舍是一不经意。天资敏惠,剪制缕结,一见辄解,嫂侄姊妹,悉从君是式。今为贤妇,平生寡言,言必契道理。与之商可否,事中者十九。其将死也,端凝如亡恙时。第曰:"吾死后,其归我所诵佛书于棺。其毋使吾子长而不学也。"他皆不及。某与君夫妇十年,我疾,君尝起之,君疾,我弗能以救。呜呼哀哉!年三十有一,生男女各二人,男六岁曰申儒,余皆亡。其既与之为三年之丧,俯穴而窆君于墓,又饮泣而为之铭。铭曰:维善而孝淑且质,厥资懿美且嫔侧。宜寿而昌今何啻,輤帷不复闭白日。天耶人耶理奚测,吁其奈何视铭刻!(《东塘集》卷二十)

杜 韦

角妓杜韦,吾郡城中人也,以妖艳冠一时。云间范牧之允谦孝廉,故学宪中吴之长公,今学宪长倩之伯兄,少时佻达,一见契合,两人暂同生死。而范妇翁为陆阜南树德中丞,闻之大怒,讼之官,系韦狱中,牧之以重赍赍取而出,携之远逃。迨丙子冬,挈以计偕,抵京已病濒殆,不复能入试,春尽则殁于邸中矣。韦扶柩归,自度归时,陆氏必不容其活,甫渡江,中流,两袖中一实滇棋,一实宋砚,二物俱牧之所日用,且性重能沉也,一跃入水,救之无及矣。此事见松江诸名士记传中,不必备录,独死后一事甚奇。余顷北上,渡扬子江,起而小便水中,舟人皆力止以为不可,余怪问故,则云近日江西一仕客过此,有小奚临江小遗,忽僵仆作吴语曰:汝何人?敢污我头鬓,我名杜韦,游戏水府者将三十年,乃一旦见辱至此!仕客大骇,且不解吴音,急泊舟询故老知其事者,为述始末,仕客具牲醴拜奠首过,小奚始苏。然则韦为水仙耶?抑入鲛宫作织绡人耶?总之怨忿所结,未能托生,沉滞沧波,亦可哀矣。吴中张伯起曾语余曰:丁丑春临场时,往省牧之病,时韦坐其榻旁,牧之咳血在口,力弱不能吐,则韦以口承之,即咽入喉,一咽一陨绝,顷刻间必数度,吾观牧之在死法,不必言,即韦韵致故在,亦憔悴无复人理矣。牧之曰:汝可代我与张伯伯一语。韦应曰:君怯甚,不可多语伤神,我上天入地必随君。范亦为哽咽。此时已心知二人必无独死理矣。伯起每为余谈此,泪尚盈睫,余亦为之掩袂。(明沈德符《万历野获编》卷二十三)